PLUSPUNKT DEUTSCH

Leben in Deutschland

ARBEITSBUCH GESAMTBAND

A2

Jin | Schote

Cornelsen

Symbole

🔊 Hörtext auf CD
1.14

✦ Portfolio

Pluspunkt Deutsch A2
Leben in Deutschland

Arbeitsbuch, Gesamtband

Im Auftrag des Verlags erarbeitet von Friederike Jin und Joachim Schote

Redaktion: Dieter Maenner und Laura Nielsen
Gertrud Deutz (Redaktionsleitung)
Redaktionelle Mitarbeit: Susanne Höhne
Bildredaktion: Katharina Hoppe-Brill, Marie Matern und Laura Nielsen
Illustrationen: Christoph Grundmann
Umschlaggestaltung, Layout und technische Umsetzung: finedesign Büro für Gestaltung, Berlin
Basierend auf Pluspunkt Deutsch von: Friederike Jin, Jutta Neumann, Joachim Schote

www.cornelsen.de

Die Webseiten Dritter, deren Internetadressen in diesem Lehrwerk angegeben sind,
wurden vor Drucklegung sorgfältig geprüft. Der Verlag übernimmt keine Gewähr für
die Aktualität und den Inhalt dieser Seiten oder solcher, die mit ihnen verlinkt sind.

Soweit in diesem Buch Personen fotografisch abgebildet sind und ihnen von der Redaktion Namen,
Berufe, Dialoge und Ähnliches zugeordnet oder diese Personen in bestimmten Situationen darge-
stellt werden, sind diese Zuordnungen und Darstellungen fiktiv und dienen ausschließlich
der Veranschaulichung und dem besseren Verständnis des Buchinhalts.

1. Auflage, 5. Druck 2018

Alle Drucke dieser Auflage sind inhaltlich unverändert und können im Unterricht nebeneinander
verwendet werden.

Druck und Bindung: Livonia Print, Riga

ISBN: 978-3-06-120556-0

PEFC zertifiziert
Dieses Produkt stammt aus nachhaltig
bewirtschafteten Wäldern und kontrollierten
Quellen.
www.pefc.de

Inhalt

1 Meine Geschichte

1 Ergänzen Sie die Fragewörter und beantworten Sie die Fragen.

> Wo • Wohin • Wie lange • Woher • Welche • Wie

1 .... kommen Sie?

....

2 .... wohnt Ihre Familie?

....

3 .... sind Sie schon in Deutschland?

....

4 .... Städte kennen Sie in Deutschland?

....

5 .... finden Sie die Städte?

....

6 .... möchten Sie gern fahren?

....

2 Früher und heute. Ergänzen Sie die Sätze wie im Beispiel.

1 Früher _habe_ ich in Barcelona _gearbeitet_. Jetzt arbeite ich in Berlin.

2 Früher .... ich in Spanien .... Jetzt lebe ich in Deutschland.

3 Früher .... ich im Norden von Deutschland .... Jetzt wohne ich im Süden.

4 Früher .... wir auf dem Land .... Jetzt leben wir in der Stadt.

5 Früher .... ich nur selten in mein Heimatland .... Jetzt fahre ich oft in mein Heimatland.

3 Bei der Anmeldung. Füllen Sie das Formular aus.

Anmeldebogen

Frau ☐ Herr ☐

Nachname(n)

Vorname(n)

Geburtsort

Herkunftsland

Staatsangehörigkeit

Wohnort

Postleitzahl

Straße und Hausnummer

Muttersprache

weitere Sprachen

4 *Seit* + Dativ. Ergänzen Sie die Artikel im Dativ.

● Sind Sie auch neu hier?

● Nein, ich wohne schon seit ein.......... Jahr hier. Und Sie?

● Wir sind seit ein.......... Monat hier, wir haben erst bei Verwandten gewohnt.

Aber wir hatten Glück. Seit ein.......... Woche haben wir eine Wohnung.

A   Zuwanderer in Deutschland

5 Menschen aus aller Welt. Schreiben Sie Sätze.

1 Marta – gemacht – das Abitur – hat
2 nach Italien – ihre Eltern – wieder – sind – gegangen
3 verloren – Carlos – hat – seine Arbeit
4 die Arbeit – wieder – motiviert – ihn – hat
5 Linying – in Taiwan – für eine deutsche Firma – hat – gearbeitet

1 *Marta* .... *hat* ....
2 ....
3 ....
4 ....
5 ....

6 Das Leben von Eugen Litwinow. *Sein* oder *haben*? Ergänzen Sie.

Herr Litwinow .... 2005 von Russland nach Deutschland gekommen, denn er

.... eine Deutsche geheiratet. Er .... zuerst Deutsch gelernt. Danach ....

er Arbeit in Frankfurt gefunden. Später .... er und seine Frau nach Köln umgezogen,

aber sie .... dort nur sechs Monate geblieben. Heute wohnen sie in Nürnberg.

7a Partizipien mit *ge-*. Wie heißen die Partizipen? Schreiben Sie.

abholen   –   ....   geben   –   ....

glauben   –   ....   schwimmen   –   ....

finden   –   ....   fragen   –   ....

fliegen   –   ....   kennenlernen   –   ....

7b Partizipien ohne *ge-*. Wie heißen die Partizipen? Schreiben Sie.

funktionieren – ....

verlassen – ....

telefonieren – ....

verlieren – ....

besichtigen – ....

erklären – ....

beginnen – ....

verkaufen – ....

vergessen – ....

buchstabieren – ....

bekommen – ....

studieren – ....

8 Ergänzen Sie die Verben im Perfekt.

> verlassen • umziehen • finden • verlieren •
> arbeiten • machen • lernen • kennenlernen

In meiner Heimat habe ich als Ingenieur ...., aber dann habe ich meine Arbeit

.... Ich habe mein Heimatland .... und bin dann nach

Deutschland .... Hier habe ich schnell Deutsch ....

und jetzt habe ich einen Job in einem Architekturbüro .... Die Arbeit macht

mir Spaß. Ich habe viele neue Menschen .... Mit meinen Freunden habe ich

schon viel zusammen ....

9 Ergänzen Sie die Präpositionen.

> in • in • von ... nach • bei • nach

2011 bin ich .... Deutschland gekommen. Ich habe zuerst .... Köln ....

meinen Verwandten gewohnt. Dann bin ich .... Köln .... Hamburg umgezogen.

.... Hamburg habe ich eine Arbeit als Lehrer gefunden.

10 Frau Tokaryk erzählt. Schreiben Sie einen Text in Ihr Heft.

nach Deutschland gekommen, in Dortmund bei Verwandten gewohnt	eine Wohnung gefunden, mein Mann ist auch nach Deutschland gekommen	in Bochum Arbeit gefunden, nach Bochum umgezogen

2006	2007	2008	2009	2010

einen Deutschkurs gemacht

in Dortmund Arbeit gesucht

B Wie haben Sie das geschafft?

11a Hören Sie das Interview mit Herrn Sorokin und ordnen Sie die Fotos.

1.02

11b Hören Sie noch einmal und ordnen Sie die Satzteile.

1.02

☐ arbeitet als Verkäufer

☐ hat einen Sprachkurs gemacht

☐ hat in der Nähe von Kassel gewohnt

☐ möchte als Ingenieur arbeiten

☐ ist 2011 nach Deutschland gekommen

☐ hat die Prüfung beim zweiten Mal geschafft

☐ ist nach Frankfurt umgezogen

☐ hat viele nette Leute kennengelernt

☐ hat eine Arbeit gefunden

11c Schreiben Sie die Geschichte von Herrn Sorokin in Ihr Heft.

12 Possessivartikel. Ergänzen Sie die Dialoge.

| mein • Ihre • unsere • meine |

Dialog 1

● Guten Tag, ... Name ist Tranh. Das ist .... Frau.
● Guten Tag, was kann ich für Sie tun?

● Das ist .... Tochter. Sie soll in den Kindergarten gehen.

● Wie alt ist .... Tochter?
● Sie ist drei Jahre alt.

Familie Tranh

| eure • eure • ihre • unsere • unsere • unsere |

Dialog 2

● Hallo, ich habe euch lange nicht gesehen! Sind das .... Kinder?

● Ja, das ist .... Tochter Galina und das sind .... Söhne Michail und Alexander.
● Seid ihr zu Fuß gekommen?

● Ja, nur Michail und Galina sind mit dem Fahrrad gefahren, ... Fahrräder stehen vor der Tür.

● Kommt rein. .... Kinder sind leider nicht da. Michail und Galina, bringt .... Fahrräder lieber in den Hof. Das ist besser.

13 Die Possessivartikel *Ihr*, *dein* und *euer*. Ergänzen Sie.

dein • eure • euer • Ihre • Ihre • Ihre

1 • Guten Tag, Frau Dhal. Ist das .... Tochter?
 • Nein, das ist meine Nichte.

2 • Annan, Entschuldigung. Ist das .... Stift?
 • Ja, du kannst ihn gern nehmen.

3 • Sergej und Nina, sind das .... Bücher?
 • Nein, das sind nicht unsere Bücher.

4 • Herr Wang, ich brauche noch .... Telefonnummer.
 • Das ist die 089 24 25 29.

5 • Frau und Herr Cakarcan, wie heißen .... Kinder?
 • Miri und Alissa.

6 • Markus, Lea, wo ist .... Vater?
 • Er ist noch im Büro.

14 Auf dem Amt. Nominativ, Akkusativ und Dativ. Ergänzen Sie die Possessivartikel.

1 • Guten Tag, Frau Petöfi. Haben Sie .... Pass?
 • Ja, hier bitte. Das ist .... Pass.

2 • Haben Sie .... Antrag ausgefüllt?
 • Ja, ich habe .... Antrag ausgefüllt. Hier ist er.

3 • Ich brauche auch ein Dokument von .... Mann.
 • Ich habe .... Führerschein. Ist das genug?

4 • Herr Cakarcan, hier brauche ich auch die Unterschrift von .... Frau.
 • Ich muss also noch einmal mit .... Frau kommen?
 • Nein, ... Frau kann auch zu Hause unterschreiben und Sie schicken den Antrag dann mit der Post.

15 Herr Taskin erzählt. Ergänzen Sie die Verben im Perfekt.

Ich .... in der Ukraine Radiotechnik .... (studieren). Dort .... ich meine Frau .... (kennenlernen). Wir .... 1998 .... (heiraten). Ich .... in Kabul eine gute Arbeit .... (bekommen), deshalb .... wir nach Afghanistan .... (gehen). Aber die Situation war schwierig und wir .... nach Deutschland .... (kommen). Wir .... zuerst im Wohnheim .... (wohnen). Dann .... ich eine Arbeit .... (finden). Meine Frau .... bei den Kindern .... (bleiben), sie waren noch klein.

C Sprachen lernen

16 Schreiben Sie die Fragen und beantworten Sie sie.

1 Sie – wie lange – lernen – schon Deutsch – ?

....

....

2 viel mit Deutschen – Sie – sprechen – ?

....

....

3 auch deutsche Filme – Sie – sehen – im Fernsehen – ?

....

....

4 deutsche Zeitungen und Bücher – lesen – Sie – ?

....

....

5 wie – neue Wörter – lernen – Sie – ?

....

....

17 **Adjektive. Ordnen Sie zu. Es gibt verschiedene Möglichkeiten.**

leise • schwierig • langsam • lustig • wichtig • einfach • laut • schnell • kompliziert

Eine Übung ist ....

Ich finde es ....

Die Frau spricht ....

🔊
1.03

18 **Textkaraoke. Hören, lesen und sprechen Sie die 👄-Rolle im Dialog.**

👂 ...   👂 ...

👄 Du kannst mit anderen Ausländern   👄 Dann sag doch: Bitte sprechen Sie
    auf Deutsch sprechen.   langsam.

👂 ...   👂 ...

👄 Schreib doch die Wörter auf   👄 Hab doch keine Angst. Fehler sind
    Wortkarten.   doch nicht schlimm.

19 Tipps zum Sprachenlernen. Was passt zusammen? Ordnen Sie zu.

1 Ich verstehe die Deutschen oft nicht.

2 Ich spreche so wenig Deutsch.

3 Ich kann die Wörter nicht behalten.

4 Ich spreche nicht viel. Ich möchte keine Fehler machen.

A Dann schreib sie doch auf Karteikarten.

B Dann sag doch: Ich habe Sie nicht verstanden. Bitte wiederholen Sie noch einmal.

C Man darf keine Angst haben. Fehler sind doch nicht so schlimm.

D Rede doch mal mit deinen Nachbarn.

20 Naomi erzählt. Heute und früher. Schreiben Sie die Sätze im Perfekt.

1 Heute spreche ich viel Deutsch.
(Früher – ich – wenig Deutsch – sprechen)

Früher habe ich ...

2 Heute schreibe ich neue Wörter auf Karteikarten.
(Früher – ich – Wörter – nie – schreiben – auf Karteikarten)

3 Jetzt behalte ich die neuen Wörter leicht und vergesse sie nicht mehr.
(Früher – ich – nie – behalten – die neuen Wörter – und – sie immer – schnell – vergessen)

4 Jetzt höre ich auch Radio auf Deutsch und sehe deutsche Filme.
(Früher – ich wenig Radio auf Deutsch – hören – und – keine deutschen Filme – sehen)

5 Heute mache ich nur noch wenige Fehler.
(Früher – ich – viele Fehler – machen)

21 Schreibtraining. In diesem Text gibt es 6 Fehler (3 x Partizip, 3x *haben* und *sein*). Schreiben Sie den Text richtig.

Fehler +++ Fehler +++ Fehler

Meine Eltern sind vor 30 Jahren ihre Heimat verlassen. Sie haben aus der Türkei gekommen. Sie haben in Deutschland Arbeit gesucht und gefindet. Ich bin in Deutschland geboren. Wir haben letzten Monat von Hamburg nach Bremen umgezieht.

Meine Eltern

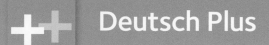
22a Kursangebot an der VHS Brackwede. Welcher Kurs passt? Lesen Sie die Situationen
1 bis 4 und ordnen Sie zu.

1 ☐ Frau Kebaili hat zwei Kinder. Sie will nicht viel Geld für Kleidung ausgeben.

2 ☐ Herr Lehmann ist neu in Brackwede. Er möchte Leute kennenlernen. Er mag Musik.

3 ☐ Herr Semprun ist 65 Jahre alt. Er ist gesund und möchte weiter gesund bleiben.
Deshalb möchte er Sport machen.

4 ☐ Herr und Frau Siegmann sind Rentner und reisen gern. Sie waren noch nicht in China.
Sie möchten das Land und die Kultur kennenlernen.

A **Walken für Anfänger**

Walking, eine Aktivität zwischen
spazieren gehen, wandern und
joggen. Bringen Sie Laufschuhe
und passende Kleidung mit.

Dienstag 10.00–11.30 Uhr. Beginn: 2.9.
Treffpunkt: Westpark, Eingang Hansaallee

B **Kochen für Anfänger/innen**

Sie können nicht kochen? Kein Problem. In diesem Kochkurs lernen Sie,
wie man Pasta, Salate, Bratkartoffeln,
Asia-Pfannen – und alles was Ihnen
gut schmeckt – selber kocht.

Mittwoch 18.00–20.00 Uhr
VHS, Bielefelder Straße 3, EG, Küche 2

C **Aktuelle Mode –
selbst genäht**

In angenehmer Atmosphäre machen
wir modische Kleidung selbst. Sie
lernen zuschneiden, nähen, abstecken
und anprobieren – alle wichtigen
Schritte bis zum fertigen Kleidungs-
stück. Der Kurs ist für Anfänger/
innen und Fortgeschrittene geeignet.
Voraussetzung: Spaß am Nähen!

Fr 17.00–19.15Uhr
Sa 13.00–18.15 Uhr
So 10.00–15.15 Uhr
VHS, Bielefelder Straße 3, 1. OG, Raum 110

D **Chor – Lieder aus aller Welt**

Für alle, die Freude am Singen haben.
Wir singen Lieder aus verschiedenen
Ländern. Notenkenntnisse sind
nicht erforderlich. Weitere Informa-
tionen erhalten Sie telefonisch bei
Monika Zelter 0171 70 81 77.

Donnerstag 19.00–20.30 Uhr
VHS, Bielefelder Straße 3, 2. OG, Raum 211

E **Studienreise nach
Hongkong, Shanghai,
Xian und Peking**

Drei Wochen China intensiv. Wir
fahren mit einer deutschsprachigen
Reiseführerin nach China. Sie zeigt
uns die wichtigsten Sehenswürdigkeiten und hilft uns Land und Leute
zu verstehen.

Vorbereitungstreffen:
Donnerstag, 25.07. um 15.00 Uhr
VHS, Bielefelder Straße 3, 1.OG, Raum 108

F **Orientalischer Tanz**

Ein Kurs für Frauen in jedem Alter.
Wir wollen orientalische Musik hören
und tanzen. Orientalischer Tanz macht
Spaß und hält uns fit.

Dienstag 18.30–20.00 Uhr
VHS, Bielefelder Straße 3, 2. OG, Raum 215

22b Welcher Kurs ist für Sie interessant? Warum? Schreiben Sie Sätze.

die Geschichte, Sg. ....

sauber ....

schmutzig ....

hektisch ....

eigentlich ....

A Zuwanderer in Deutschland

der/die Zuwanderer/in, -/-nen ....

die Welt, Sg. ....

der Grund, "-e ....

unterschiedlich ....

erzählen ....

kennen}lernen ....

auf}geben ....

verlassen ....

verlieren ....

erleben ....

motivieren ....

schlimm ....

enttäuscht ....

genervt ....

endlich ....

das Abitur, Sg. ....

der/die Architekt/in, -en/-nen ....

der/die Abteilungsleiter/in, -/-nen ....

die Teilzeitarbeit, Sg. ....

das Flüchtlingsheim, -e ....

B Wie haben Sie das geschafft?

schaffen ....

die Universität, -en ....

das Studium, Sg. ....

jung ....

der Anfang, "-e ....

depressiv ....

aktiv ....

der Verein, -e ....

schwierig ....

C Sprachen lernen

vor}sprechen ....

nach}sprechen ....

zu}hören ....

aus}probieren ....

das Wort, "-er ....

der Satz, "-e ....

neue Wörter behalten ....

auswendig lernen ....

schriftlich ....

die Übung, -en ....

üben ....

der Fehler, - ....

die Aussprache, Sg. ....

unbedingt ....

lustig ....

Mut haben ....

Angst haben ....

....

....

1a Gegenteile. Ordnen Sie zu.

> modern • langweilig • laut • schmutzig • groß • gemütlich

1 klein – ....

2 hektisch – ....

3 interessant – ....

4 ruhig – ....

5 sauber – ....

6 alt – ....

1b Welche Wörter aus 1a passen zu den Fotos? Ordnen Sie zu.

....

....

2 Kreuzworträtsel. Ergänzen Sie die Verben.

> ~~sprechen~~ • schreiben • besuchen •
> machen • verstehen • behalten •
> haben • lesen • lernen

1 mit Deutschen …
2 neue Wörter leicht …
3 die Deutschen gut …
4 keine Angst …
5 einen Fehler …
6 Sätze auswendig …
7 Wörter auf Karteikarten …
8 ein Buch …
9 einen Kurs …

🔊 3 Wörter hören und nachsprechen. Hören Sie zu und sprechen Sie nach.
1.04

1 aktiv – enttäuscht – schwierig – lustig
2 das Wort – der Satz – die Aussprache
3 auswendig lernen – Angst haben – Mut haben

Tonaufnahmen machen

Lernen mit Bewegung

Das macht Spaß.

viel sprechen

vor dem Spiegel sprechen

der Fernseher

die Blume

das Regal

Wortschatz mit Zetteln lernen

4 Hören Sie zu. Zu welchen Tipps passen die Sätze? Ordnen Sie zu.

1.05

5 Lerntipps. Was passt zusammen? Ordnen Sie zu.

1 Ich schreibe neue Wörter immer auf Zettel
2 Ich nehme Wörter oder Sätze auf
3 Ich lerne am besten mit Bewegung.
4 Ich lerne schwierige Wörter immer zusammen, zum Beispiel:
5 Ich mag Grammatik und
6 Kontakt mit Deutschen ist wichtig,

A deshalb besuche ich auch andere Kurse an der VHS.
B schreibe mir immer die Regeln auf.
C und klebe sie zum Beispiel auf Möbel.
D und höre die Aufnahme dann an.
E Ich laufe durch den Park und spreche die Wörter.
F einen Antrag stellen.

Grammatik mit Merksätzen lernen

Wortverbindungen lernen

neue Wörter auf Karteikarten schreiben

auch in Pausen Wortschatz wiederholen

ein Wörternetz machen

die Küche — die Wohnung

das HAUS

das Zimmer

die Miete

die Ferien — das Auto

die REISE

der Urlaub — der Zug

6 Wie lernen Sie am besten? Schreiben Sie Sätze.

....

....

....

....

1a Gülay und die Medien. Was fehlt hier? Schreiben Sie die Wörter mit Artikel.

1 .... 2 .... 3 ....

4 .... 5 .... 6 ....

1b Was macht Gülay wann? Ergänzen Sie die Verben.

spielen • fernsehen • telefonieren • hören •
hören • chatten • arbeiten • lesen • kaufen

Morgens beim Frühstück .... Gülay gern Radio oder ....

die Zeitung. Sie fährt mit der S-Bahn zur Arbeit. In der S-Bahn .... sie

Musik. Gestern .... sie ein neues Smartphone ....
Sie ist jetzt wieder erreichbar und kann unterwegs mit ihren Freundinnen

.... und .... Im Büro .... Gülay viel

am Computer. Abends .... sie gern Spiele am Tablet oder sie ....

.... Das findet sie entspannend.

2 Wann machen Sie was? Schreiben Sie Sätze mit *morgens, vormittags, mittags,
nachmittags, abends* und *nachts*. Markieren Sie das Verb wie im Beispiel.

1 aufstehen   4 Kaffee trinken
2 arbeiten   5 schlafen
3 einkaufen   6 fernsehen

Morgens stehe ich auf.

3 Welche Medien benutzen Sie täglich oder oft? Schreiben Sie.

....

....

....

A Rund ums Internet

🔊 **4a** Lesen und ergänzen Sie. Kontrollieren Sie dann mit der CD.
1.06

> Smartphone • Kontakt • Online-Spiele • Internet • Nachrichten

Ich habe mobiles .... auf dem .... und kann unterwegs immer

.... mit meinen Freunden haben. Ich kann ihnen .... schicken

oder mit ihnen chatten. Auf dem Weg zur Arbeit spiele ich oft ....

🔊 **4b** Hören Sie das Interview mit Frau Kostas und kreuzen Sie an: Richtig oder falsch?
1.07

		R	F
1	Frau Kostas braucht das Internet bei der Arbeit.	☐	☐
2	Sie benutzt das Internet viel in der Freizeit.	☐	☐
3	Sie möchte immer erreichbar sein.	☐	☐
4	Frau Kostas kauft gerne im Internet ein.	☐	☐
5	Sie liest die Zeitung gerne auf Papier.	☐	☐

5 Warum benutzen die Personen das Internet? Ergänzen Sie die Nebensätze mit *weil* und markieren Sie das konjugierte Verb.

1 Schüler brauchen oft Internet, *weil sie* ....
(Sie recherchieren Informationen für die Schule.)

2 Kinder gehen gern ins Internet, ...
(Es gibt viele Online-Spiele für Kinder.)

3 Viele Leute nutzen das Internet, ...
(Sie vergleichen Preise.)

4 Bei der Arbeit braucht man Internet, ...
(Man muss E-Mails schicken.)

5 Viele Leute haben mobiles Internet, ...
(Es ist sehr praktisch.)

6a Wiederholung: trennbare Verben. Schreiben Sie die Sätze.

1 die Arbeit von Tim – um 7 Uhr – anfangen

....

2 abholen – er – die Kinder – von der Schule

....

3 zurückkommen – er – spät – nach Hause

....

4 vorlesen – er – den Kindern

....

5 er – nicht – kann – einschlafen

....

6b Schreiben Sie Sätze mit *weil* zu den Sätzen aus 6a.

1 Tim muss sehr früh aufstehen, *weil seine Arbeit* ....

2 Er fährt nicht sofort nach Hause, ...

3 Er ruft seine Frau an, ...

4 Er kann nicht fernsehen, ...

5 Er liest noch ein Buch, ...

7 Warum spricht niemand mit mir? Schreiben Sie Sätze mit *weil*.

> Sie telefoniert mit dem Handy. • Er liest Zeitung. •
> Sie surft im Internet. • Sie sieht fern. • Er hört Musik.

1 Mein Mann spricht nicht mit mir, ...

2 Unsere Tochter spricht nicht mit mir, ...

3 Unser Sohn spricht nicht mit mir, ...

4 Meine Mutter spricht nicht mit mir, ...

5 Unsere Katze spricht nicht mit mir, ...

8a Medien und Urlaub. Was passt? Ordnen Sie zu.

1 Anja will Urlaub machen.   A Sie muss immer erreichbar sein.
2 Sie surft im Internet.   B Sie will im Urlaub Nachrichten sehen.
3 Sie nimmt ihr Smartphone mit.   C Sie hat viel gearbeitet.
4 Sie packt ihr Tablet ein.   D Sie möchte im Urlaub viel lesen.
5 Sie nimmt ihr E-Book mit.   E Sie sucht Urlaubsangebote.
6 Sie nimmt ihre Kopfhörer mit.   F Sie will im Flugzeug Musik hören.

8b Schreiben Sie Fragen und Antworten mit den Sätzen aus 8a.

1 ● *Warum will Anja Urlaub machen?*   ● *Weil sie viel gearbeitet hat.*

2 ....

3 ....

4 ....

5 ....

6 ....

9 Warum? Sehen Sie die Bilder an und schreiben Sie Sätze mit *weil*.

1 Warum spielen die Kinder nicht im
   Garten?

2 Warum fährt Herr Hamidi zum
   Flughafen?

....

....

3 Warum trinkt Herr Scholz heute kein
   Bier?

4 Warum geht Frau Santana heute früh ins
   Bett?

....

....

B Mit dem Computer arbeiten

10 Wie heißen die Computersymbole? Ergänzen Sie.

1 💾 ....   5 📂 ....

2 ❌ ....   6 🗑 ....

3 🖨 ....   7 ❓ ....

4 ⚙ ....   8 ⏻ ....

11 Eine Nachricht mit dem Smartphone schreiben. Wie macht man das? Ordnen Sie die Punkte und schreiben Sie die Sätze in Ihr Heft.

> den Text schreiben • das Programm schließen • das Smartphone einschalten •
> das Programm öffnen • den Empfänger auswählen • die Nachricht abschicken

C Fernsehen und Radio

12a Welche Sendungen sind das? Ergänzen Sie die Wörter.

1 der Sp _ _ lf _ lm
2 der _ n _ m _ t _ _ nsf _ lm
3 das Qu _ z
4 die N_ chr _ cht _ n
5 der Kr_ m _

6 der D_ k _ m _ nt _ rf _ lm
7 die Sp _ rts _ nd _ ng
8 die S _ r _ _
9 die T_ lksh _ w

12b Das Fernsehprogramm. Welche Sendungen gibt es heute? Hören Sie und notieren Sie.
1.08

13 Textkaraoke. Hören, lesen und sprechen Sie die 👄-Rolle im Dialog.
1.09

👂 …

👄 Ja, ich möchte heute unbedingt die Nachrichten sehen.

👂 …

👄 Tierfilme finde ich langweilig.

👂 …

👄 Ja, Krimis sehe ich gerne. Wann fängt der Krimi an?

👂 …

👄 Gut, dann sehen wir erst die Nachrichten und dann den Krimi.

20.00	**Nachrichten**
20.15	Nachrichten aktuell
20.15	**Tierfilm**
21.30	Bären in der Wildnis
Tipp	
20.15	**Krimiserie**
22.10	Wer ist der Täter?

14 Einen Fernsehabend planen. Ergänzen Sie den Dialog.

> Ja, das finde ich gut. Wann beginnt der Film? • Dann kannst du zuerst das Fußballspiel sehen und wir sehen danach den Film. Okay? • Was kommt heute im Fernsehen? • Nein, ich mag keine Sportsendungen. Ich möchte lieber einen Film sehen.

● ....

● Heute Abend kommt um 20.15 Uhr ein Fußballspiel. Das möchte ich gern sehen. Du auch?

● ....

● Es kommt auch ein Film mit Emma Watson.

● ....

● Um 22 Uhr.

● ....

● Ja, das ist eine gute Idee.

15a Lesen Sie den Artikel. Über welche Medien spricht Herr Aigner? Unterstreichen Sie im Text.

Medien: Eine Meinung

Viele Leute hören schon beim Frühstück und dann im Auto auf dem Weg zur Arbeit Radio. Das kann ich nicht verstehen. Ich lese morgens die Zeitung, dann bin ich gut informiert. Ich möchte nicht den ganzen Tag Radio hören und im Internet surfen. Ich lese lieber ein Buch. Ich verstehe auch nicht, dass viele Leute nicht ohne Handy leben können. Ich möchte nicht überall telefonieren. Warum auch? Ich treffe meine Freunde und dann sprechen wir gemütlich zusammen. Warum soll ich ihnen mehrmals am Tag eine Nachricht schicken oder sie anrufen? Ich finde auch, dass Kinder und Jugendliche lernen müssen, dass man auch ohne Handy und Smartphone leben kann.

Hans Aigner, 63

- 12 -

15b Was findet Herr Aigner gut, was findet er nicht gut? Ergänzen Sie die Medien aus 15a.

☺ ....

☹ ....

15c Lesen Sie noch einmal und kreuzen Sie an: Richtig oder falsch?

	R	F
1 Herr Aigner findet es gut, dass die Leute den ganzen Tag im Internet surfen.	☐	☐
2 Er denkt, dass viele Leute nicht ohne ihr Handy leben können.	☐	☐
3 Er findet, dass man nicht immer telefonieren muss.	☐	☐

16 Mediennutzung. Schreiben Sie Sätze.

1 Ich finde es schlecht, dass (die Internetverbindung – ist – in Kleinstädten – oft schlecht)

....

2 Ich finde, dass (immer erreichbar – man – muss – sein)

....

3 Ich finde es gut, dass (Vokabeln – lernen – man – kann – auch mit einer App)

....

17 Das Leben in Deutschland. Schreiben Sie Sätze.

> Alle Menschen haben ein Auto. • Zugfahrkarten sind in Deutschland sehr teuer. •
> Man findet nur schwer eine Wohnung. • Der Winter ist sehr kalt. •
> Man kann am Wochenende viel machen.

1 Ich finde, dass ....

2 Ich denke, dass ....

3 Ich finde es gut, dass ....

4 Ich finde es schlecht, dass ....

5 Ich denke nicht, dass ....

18 Schreibtraining. Texte eleganter schreiben. Schreiben Sie die E-Mail neu und stellen Sie die orange markierten Wörter auf Position 1 im Satz.

Hi Anne,
ich bin jetzt schon eine Woche hier im Sprachkurs. Ich finde den Kurs interessant und ich lerne auch viel. Ich habe leider noch nicht viel Kontakt mit den anderen Kursteilnehmern.
Ich mag die Lehrerin gerne, weil sie uns immer hilft. Sie hat mir gestern eine Vokabel-App gezeigt. Ich lerne gerne mit der App. Das macht Spaß.
Liebe Grüße
Nadja

Hi Anne,
jetzt bin ich schon ....

....

19a Was steht wo in der Zeitung? Lesen Sie die Überschriften und die Rubriken. Ordnen Sie zu.

1 ☐ Bundesliga: **Werder Bremen gewinnt 2:0**

A ——— POLITIK ———

2 ☐ **Parlamentswahlen in Frankreich**

B *WIRTSCHAFT*

3 ☐ STARKER DOLLAR und SCHWACHER EURO

C Kultur *und* Bildung

4 ☐ **SCHNEECHAOS** in München

D | Sport |

5 ☐ **Tag der offenen Tür im Bildungszentrum BBZ**

E Aus *Land* und *Region*

19b Lesen Sie die Artikel. Welche Überschriften aus 19a passen? Ergänzen Sie.

1 ....

Das Beratungs- und Bildungszentrum am Ostpark hat am Wochenende sein 20jähriges Jubiläum mit einem Tag der offenen Tür gefeiert. Alle ehemaligen Kursteilnehmer aus den ersten Kursen vor 20 Jahren und viele andere Besucher waren zu Kaffee und Kuchen eingeladen. Hülya Yildirim hat hier vor 15 Jahren einen Deutschkurs besucht. Sie sagt: „Der Deutschkurs hat mir sehr geholfen. Nach dem B1-Kurs habe ich schnell Arbeit gefunden. Dann habe ich in Abendkursen auch noch die B2-Prüfung gemacht und bin jetzt Pflegedienstleiterin. Ohne gute Deutschkenntnisse geht das nicht."

Hülya Yildirim, ehemalige Kursteilnehmerin im BBZ

2 ....

Heftige Schneefälle und Glatteis haben am Montagmorgen den Verkehr in und um München lahm gelegt. Die Straßen waren durch eine Schneedecke von 50 cm blockiert. Die Räumfahrzeuge waren seit morgens um 5 Uhr auf der Straße, aber die S-Bahn, Tram und Busse sind erst ab 9 Uhr wieder gefahren. Zahlreiche Berufstätige sind nicht oder zu spät zur Arbeit gekommen. Der Schulunterricht ist im gesamten Stadtbereich ausgefallen. Für die nächsten Tage sagt der Deutsche Wetterdienst weitere Schneefälle voraus.

Räumfahrzeug in München

19c Lesen Sie die Texte noch einmal und beantworten Sie die Fragen.

1 Warum hat das Beratungs- und Bildungszentrum am Ostpark einen Tag der offenen Tür gemacht?

2 Warum sind die Kinder in München am Montag nicht zur Schule gegangen?

2 Wichtige Wörter

das Medium, Medien ....

der Kopfhörer, - ....

das E-Book, -s ....

chatten ....

spannend ....

entspannend ....

erreichbar sein ....

A Rund ums Internet

das Online-Spiel, -e ....

die Nachrichten, Pl. ....

die E-Mail, -s ....

E-Mails checken ....

denken ....

häufig ....

die Information, -en ....

im Internet recherchieren ....

mobiles Internet ....

möglich ....

unkompliziert ....

warum ....

weil ....

B Mit dem Computer arbeiten

der Internetzugang, "-e ....

die Software, Sg. ....

die App, -s ....

soziale Netzwerke ....

die Datei, -en ....

das E-Mail-Programm, -e ....

speichern ....

löschen ....

öffnen ....

schließen ....

beenden ....

drucken ....

senden ....

ab{schicken ....

der Anhang, "-e ....

an{hängen ....

die Hilfe, -n ....

die Option, -en ....

das Adressbuch, "-er ....

der Posteingang, "-e ....

aus{wählen ....

nützlich ....

C Fernsehen und Radio

das Fernsehen, Sg. ....

die Sendung, -en ....

laufen: das Radio läuft ....

der Spielfilm, -e ....

das Quiz, Sg. ....

der Dokumentarfilm, -e ....

die Serie, -n ....

die Talkshow, -s ....

international ....

der Krimi, -s ....

die Werbung, -en ....

die Internetseite, -n ....

die Verkehrsmeldung, -en ....

der Wetterbericht, -e ....

der Durchschnitt, Sg. ....

dafür ....

dagegen ....

dass ....

leise ....

1   **Kreuzworträtsel. Schreiben Sie die Wörter und ergänzen Sie das Lösungswort.**

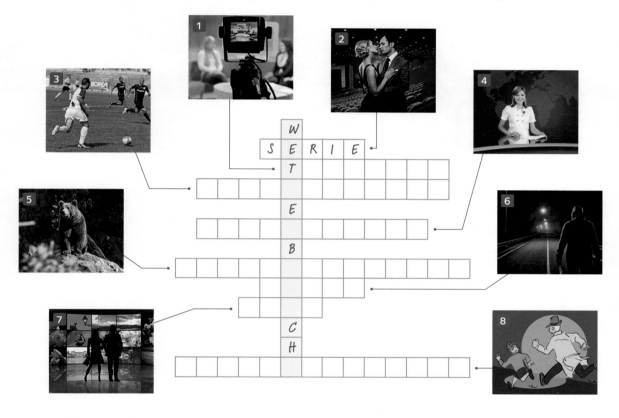

Lösungswort:

Regnet es morgen oder schneit es?

Ich muss unbedingt den _ _ _ _ _ _ _ _ _ _ _ _ sehen.

2   **Welches Wort passt nicht? Streichen Sie.**

1   eine Datei   öffnen – anhängen – anmelden – abschicken

2   eine App   kaufen – benutzen – chatten – schließen

3   eine E-Mail   drucken – surfen – abschicken – auswählen

3   **Wörter hören und nachsprechen. Hören Sie zu und sprechen Sie nach.**

1.10

1   das Handy – das Smartphone – die App – die Software – das Online-Spiel

2   die E-Mails checken – im Internet surfen – mit Freunden chatten –
     Informationen recherchieren

3   die Serie – das Quiz – die Talkshow – der Krimi

4   erreichbar – entspannend – nützlich – möglich

4a   Sehen Sie das Foto an und ordnen Sie die Wörter zu.

☒ 7 der USB-Anschluss ☐ die DVD ☐ der Rechner

☐ der Bildschirm ☐ das Laufwerk ☐ der Drucker

☐ die Tastatur ☐ die Maus ☐ der Scanner

☐ das Ladekabel 6 .... 8 ....

10 .... 14 ....

4b   Ergänzen Sie in 4a die fehlenden Wörter mit Artikel.

5   Hören Sie die neuen Wörter und sprechen Sie nach.
1.11

1 im Internet recherchieren

2 eine App herunterladen

3 Computerspiele spielen

4 einen Text scannen

5 eine Datei speichern

6 einen Text drucken

7 Online-Banking machen

8 ein Kabel anschließen

9 einen Film sehen

10 ein Gerät aufladen

11 eine Datei löschen

12 mit einem Musik-programm arbeiten

13 den Computer reparieren

14 einen Termin am Tablet eintragen

15 ein E-Book lesen

16 Bilder bearbeiten

◀»)
1.12

6 Was machen Sie? Hören Sie die Infinitive und sprechen Sie Sätze wie im Beispiel.

• 👂 im Internet recherchieren   • 👄 Ich recherchiere im Internet.

7 Was machen die Leute auf den Fotos? Was machen Sie häufig, manchmal, selten, nie? Schreiben Sie Sätze wie im Beispiel.

Eine Person repariert den Computer. Ich repariere nie den Computer.

3 Wochenende

🔊 1.13 **1a** Was macht Herr Pazzi am Wochenende? Hören Sie und kreuzen Sie an.

🔊 1.13 **1b** Was macht Herr Pazzi wann? Hören Sie noch einmal und ergänzen Sie.

1 Am Samstagvormittag: ....

2 Am Samstagnachmittag: ....

3 Am Samstagabend: ....

4 Am Sonntagvormittag: ....

5 Am Sonntagnachmittag: ....

6 Am Sonntagabend: ....

2 Was machen Sie am Wochenende? Schreiben Sie vier Sätze.

....

....

....

3a Was passt zusammen? Ergänzen Sie die Verben.

> trinken • gehen • essen • besuchen • gehen • machen

1 Eis .... **4** in einen Club ....

2 Verwandte .... **5** einen Ausflug ....

3 Kaffee .... **6** schwimmen ....

3b Schreiben Sie mit den Wörtern aus 3a Sätze.

Am Samstag besuche ich ...

A   In der Einkaufsstraße

4   Auf dem Markt. Wo ist/sind ...? Ergänzen Sie die Sätze.

> vor dem • zwischen dem • auf dem • am • hinter dem • unter dem • neben dem

1 Die Kinder sitzen _____ Tisch.

2 Das Buch liegt _____ Tisch.

3 Die Katze liegt _____ Stuhl.

4 Die Tasche steht _____ Obststand.

5 Der Verkäufer steht _____ Obststand.

6 Die Äpfel liegen _____ Salat.

7 Der Sonnenschirm steht _____
Obststand und dem Tisch.

5a   Was ist passiert? Wohin…? Ergänzen Sie die Sätze.

> ~~in die~~ • zwischen den • ins • unter den • auf den • auf den • auf den

1 Die Kinder rennen _in die_ Apotheke.

2 Das Buch fliegt _____ Stuhl.

3 Die Katze rennt _____ Tisch.

4 Der Salat fällt _____ Boden.

5 Der Verkäufer läuft _____ Café.

6 Die Äpfel fallen _____ Obststand
und den Tisch.

7 Der Sonnenschirm fällt _____ Tisch.

5b   Schreiben Sie die Sätze aus 5a im Perfekt.

1. Die Kinder sind in die Apotheke ...

6 Wo oder wohin? Schreiben Sie Sätze wie im Beispiel.

Die Katze springt zwischen die Stühle.

Die Katze steht ...

Die Katze läuft ...

Die Katze liegt ...

7 Ein langer Tag. Ergänzen Sie den Artikel im Dativ oder Akkusativ.

> der • der • den • den • eine • einem • die

Gestern ist Melissa um neun Uhr in .... Deutschkurs gegangen. Am Nachmittag ist sie

mit einer Freundin an .... See gefahren. In .... Café haben sie auf .... Terrasse

einen Cappuccino getrunken. Später sind sie zurück in .... Stadt gefahren und am Abend

sind sie in .... Disco gegangen. In .... Disco haben sie viel getanzt.

8 Präpositionen und Zeit. Ergänzen Sie *am, im, in, um* und *von ... bis*.

1 .... Montag muss ich viel machen. Meine Arbeit beginnt .... neun Uhr. 12

.... 13 Uhr habe ich Mittagspause. .... Nachmittag nach der Arbeit gehe ich oft

einkaufen.

2 Frau Müller hat gerne .... Winter Urlaub. Sie macht oft .... Januar oder Februar

Urlaub, denn sie fährt gerne Ski.

3 Simon muss immer .... sechs Uhr aufstehen, denn die Schule beginnt .... halb

acht. .... Wochenende kann er lange schlafen. .... Donnerstag macht er ....

Abend Sport, er geht .... sieben .... neun Uhr zum Fußball.

9 Wo waren Sie gestern? Wohin gehen Sie morgen? Schreiben Sie Sätze.

....

....

....

B Was machen wir am Sonntag?

10 Im Kurs. Ergänzen Sie in den Dialogen *Ja*, *Nein* oder *Doch*.

1 ● Kannst du mir dein Wörterbuch geben?

● ...., ich habe es zu Hause vergessen.

● ...., hier ist es.

2 ● Hast du keinen Kugelschreiber? Ich kann dir einen geben.

● ...., gerne. Ich habe keinen.

● ...., ich habe einen.

3 ● Verstehst du den Text nicht?

● ...., ich kenne nur zwei oder drei
● Wörter nicht.

● ...., ich finde ihn wirklich sehr schwer.

4 ● Ist Paulina heute krank?

● ...., sie hat Fieber.

● ...., heute hat sie einen Termin beim Ausländeramt.

11 Lesen Sie die Kurznachrichten und schreiben Sie eine Antwort.

1 Sie haben keine Zeit, denn Sie müssen am Nachmittag arbeiten.

2 Sie haben Zeit und Sie wollen gerne in die Disco mitkommen.

Max
Hallo, heute gehen wir nach dem Deutschkurs in die Stadt. Kommst du mit?
LG Max

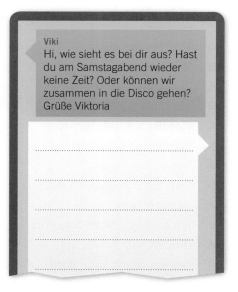

Viki
Hi, wie sieht es bei dir aus? Hast du am Samstagabend wieder keine Zeit? Oder können wir zusammen in die Disco gehen?
Grüße Viktoria

12a Das Wochenende von Björn Nowitzki. Lesen Sie den Blog und beantworten Sie die Fragen.

Mein Blog   *BLOG   TIPPS   FOTOS   RESTAURANTS*

FREIZEIT UND BERUF

Ich arbeite oft am Wochenende, denn ich bin Kellner von Beruf. Besonders am Wochenende haben wir in unserem Restaurant viel Arbeit. Ich habe Schichtarbeit, das heißt, ich arbeite am Samstag und Sonntag von 9.00 bis 17.00 Uhr oder von 17.00 bis 1.00 Uhr im Restaurant. Am Montag ist das Restaurant geschlossen und ich habe immer frei. Natürlich arbeite ich nicht jedes Wochenende. Mir gefallen die freien Wochenenden. Dann gehe ich mit meiner Freundin gerne essen oder wir machen einen Ausflug.

BJÖRN NOWITZKI, 33 JAHRE

1 Von wann bis wann arbeitet Björn Nowitzki am Wochenende?

2 Muss er an jedem Wochenende arbeiten?

3 Wann hat er frei?

4 Was macht er an freien Tagen?

12b Berichten Sie über Björn Nowitzki. Schreiben Sie den Text aus 12a in der 3. Person neu.

> *Björn Nowitzki arbeitet oft am Wochenende, denn er ...*

12c 3 Jahre später. Björn erzählt, wie es früher war. Schreiben Sie den Text aus 12a im Perfekt und im Präteritum (*sein* und *haben*) neu.

> *Früher habe ich ...*

C   Im Restaurant

🔊 **13** Hören Sie zu und kreuzen Sie an. Welche Antwort passt?
1.14

1 ☐ **A** Vier Personen.
   ☐ **B** Wir brauchen einen Tisch.

2 ☐ **A** Zusammen, bitte.
   ☐ **B** Ich zahle mit EC-Karte.

3 ☐ **A** Auf der Terrasse, bitte.
   ☐ **B** Wir haben keine Terrasse.

4 ☐ **A** Das ist sehr teuer.
   ☐ **B** Gut, dann nehme ich das.

5 ☐ **A** Ja, sehr gern.
   ☐ **B** Ich hätte gern den Sauerbraten.

6 ☐ **A** Stimmt so.
   ☐ **B** Geben Sie mir bitte das Geld zurück.

1.15

14a Ordnen Sie den Dialog und kontrollieren Sie dann mit der CD.

- ☐ [1] Restaurant zur Post. Was kann ich für Sie tun?
- ☐ Auf Wiederhören.
- ☐ [5] Möchten Sie einen Tisch auf der Terrasse?
- ☐ Guten Abend, hier spricht Fernando Lopez. Ich möchte gerne einen Tisch für Samstagabend reservieren. Geht das?
- ☐ Das habe ich notiert. Vielen Dank für Ihre Reservierung. Auf Wiederhören.
- ☐ Wir sind drei Personen und wollen um 20.00 Uhr kommen.
- ☐ Ja, das geht. Wie viele Personen sind Sie und wann möchten Sie kommen?
- ☐ Ja, gerne.

14b Lesen Sie noch einmal und beantworten Sie die Fragen: Wer? Was? Wo? Wann?

15 Im Restaurant. Ergänzen Sie den Dialog.

> Schade, dann nehme ich die Gemüselasagne. • Ich hätte gerne das Hähnchen mit Reis und Gemüse. • Ich nehme einen Apfelsaft. • Ich möchte gerne bestellen.

- ....
- Ja, gerne, was möchten Sie essen?
- ....
- ....
- Das Gericht haben wir nicht mehr, tut mir leid.
- ....
- ....
- Sehr gerne. Und was möchten Sie trinken?
- ....

1.16

16 Textkaraoke. Hören, lesen und sprechen Sie die 👄-Rolle im Dialog.

👄 Wir möchten gerne bezahlen.

👂 …

👄 Zusammen, bitte

👂 …

👄 Ja, und zwei Gläser Mineralwasser.

👂 …

👄 Hier bitte, 17 Euro. Stimmt so.

👂 …

🔊 1.17 **17a** Lesen Sie die Speisekarte und hören Sie den Dialog. Was möchten Filipp und Selvi bestellen? Markieren Sie.

Vorspeisen		*Nachspeisen*	
Hühnersuppe	4,20 €	Vanilleeis mit Sahne	3,80 €
Tomatensuppe	4,40 €	Obstsalat	4,80 €
Hauptspeisen		*Getränke*	
Rindergeschnetzeltes mit Champignons und Reis	14,00 €	Mineralwasser 0,2l	2,20 €
Hähnchen mit Nudeln und Gemüse	11,00 €	Apfelsaft 0,2l	2,90 €
Spaghetti mit Basilikum-Pesto und Tomaten	8,50 €	Orangensaft 0,2l	2,90 €
		Fanta/Cola/Sprite 0,2l	2,40 €
Schweineschnitzel mit Pommes und Salat	9,50 €	Bier 0,3l	3,10 €
		Wein 0,2l	3,00 €
		Tee/Kaffee	2,80 €

🔊 1.17 **17b** Hören Sie noch einmal und kreuzen Sie an: Richtig oder falsch? Korrigieren Sie die falschen Sätze.

		R	F
1	Selvi mag keine Tomatensuppe.	☐	☐
2	Filipp hat schon gestern ein Hähnchen gegessen.	☐	☐
3	Selvi denkt, dass der Wein nicht gut ist.	☐	☐
4	Filipp nimmt keine Vorspeise.	☐	☐
5	Filipp will keine Nachspeise essen.	☐	☐

18 Schreibtraining. Welche Wörter schreibt man groß? Schreiben Sie den Brief richtig.

Fehler +++ Fehler +++ Fehler

liebe jessica,
noch einmal vielen dank für das schöne wochenende bei dir in
münster. das essen am samstagabend war sehr gemütlich und
die radtour am sonntagmittag war wirklich toll. ich hoffe, dass
du mich dann anfang mai in hannover besuchst.
viele grüße
jane

❗ Großschreibung:
- Satzanfang
- Nomen
- Namen
- Städtenamen

Liebe …

19a Lesen Sie die E-Mail und bringen Sie die Bilder in die richtige Reihenfolge.

Recyclinghof

Öffnungszeiten:

Montag – Donnerstag	14–17 Uhr
Freitag	10–14 Uhr
Samstag	geschlossen

Hallo Marco,

ich bin umgezogen. Ich wohne jetzt mit Freunden in einem großen Haus mit Garten. Das ist toll, aber wir müssen auch viel gemeinsam machen. Am Wochenende haben wir aufgeräumt. Zusammen mit meiner Mitbewohnerin Neyla habe ich am Samstag im Gemüsegarten gearbeitet. Das hat Spaß gemacht und wir haben alles gut geschafft. Danach habe ich meinen Mitbewohnern Andi und Gregor geholfen, wir haben das Wohnzimmer gestrichen. Das war sehr anstrengend, aber es sieht jetzt super aus. ☺

Aber nicht alles hat so gut funktioniert. Wir hatten alte Elektrogeräte für den Recyclinghof, aber der hatte am Samstag geschlossen. Jetzt können wir die Sachen erst am Mittwoch wegbringen. Meine Mitbewohnerinnen Eli und Claudia haben den Keller aufgeräumt, aber sie haben nicht viel geschafft. Sie haben mehr geredet als gearbeitet. ☹

Am Sonntag haben wir dann im Haus verschiedene Sachen repariert, zum Beispiel war das Licht im Wohnzimmer kaputt. Außerdem haben wir den Flur und alle Gemeinschaftsräume geputzt. Am Sonntagabend haben wir dann gekocht und schön zusammen gegessen.

Wie geht es dir? Kommst du mich bald besuchen? ☺

Liebe Grüße Sebastian

19b Lesen Sie die E-Mail noch einmal und beantworten Sie die Fragen.

1 Wie viele Personen wohnen in dem Haus?
2 Welche Arbeiten haben sie am Wochenende gemacht?
3 Was hat gut funktioniert?
4 Was hat nicht gut funktioniert und warum?
5 Was haben sie am Sonntagabend gemacht?

putzen ....

lange frühstücken ....

A In der Einkaufsstraße

die Einkaufsstraße, -n ....

plötzlich ....

der Sturm, "-e ....

das Gewitter, - ....

durcheinander ....

der Sonnenschirm, -e ....

fallen ....

rennen ....

laufen ....

das Chaos, Sg. ....

der Boden, "- ....

das Messer, - ....

die Gabel, -n ....

der Löffel, - ....

die Serviette, -n ....

die Katze, -n ....

das Stadtzentrum, Sg. ....

B Was machen wir am Sonntag?

der Job, -s ....

doch ....

Doch, wir haben Zeit. ....

Herzlichen Glückwunsch! ....

schade ....

sicher ....

ganz sicher ....

verbringen ....

das Wochenende
gemeinsam verbringen ....

los sein ....

Hier ist viel los. ....

die Schwiegereltern, Pl. ....

der Pflegedienst, -e ....

den Haushalt machen ....

bügeln ....

die Reparatur, -en ....

erzählen ....

berichten ....

C Im Restaurant

das Gericht, -e ....

typisch ....

reservieren ....

bestellen ....

bezahlen ....

Zusammen oder getrennt? ....

die Speisekarte, -n ....

die Vorspeise, -n ....

die Hauptspeise, -n ....

die Nachspeise, -n ....

die Rechnung, -en ....

Das macht 20 €. ....

stimmen ....

Stimmt so. ....

das Trinkgeld, -er ....

3

1 Im Restaurant. Was sehen Sie? Schreiben Sie die Wörter mit Artikel.

der Kellner, ...

2 Komposita. Ergänzen Sie die Wörter und den Plural.

> speise • zentrum • geld • schirm • straße • dienst

1 das Trink

4 das Stadt

2 der Sonnen

5 der Pflege

3 die Nach

6 die Einkaufs

3a Welches Wort passt nicht? Streichen Sie.

1 einen Tisch im Restaurant   bezahlen – reservieren – suchen – finden
2 Essen   bestellen – bezahlen – reservieren – machen
3 eine Reparatur   machen – bezahlen – kaufen – vorbereiten
4 Trinkgeld   machen – vergessen – geben – annehmen

3b Lesen die Kombinationen laut.

in die Disco gehen

ein Picknick machen

an den See fahren

auf dem Markt einkaufen

die Zeitung lesen

das Auto putzen

im Garten arbeiten

einen Freund / eine Freundin treffen

mit dem Hund spazieren gehen

3c Was machen Sie wann? Schreiben Sie Sätze mit den Wörtern aus 3b.

> *Am Mittwochabend treffe ich einen Freund.*

4 Wörter hören und nachsprechen. Hören Sie zu und sprechen Sie nach.
1.18

1 fallen – rennen – laufen
2 reservieren – bestellen – bezahlen
3 das Gericht – die Vorspeise – die Hauptspeise

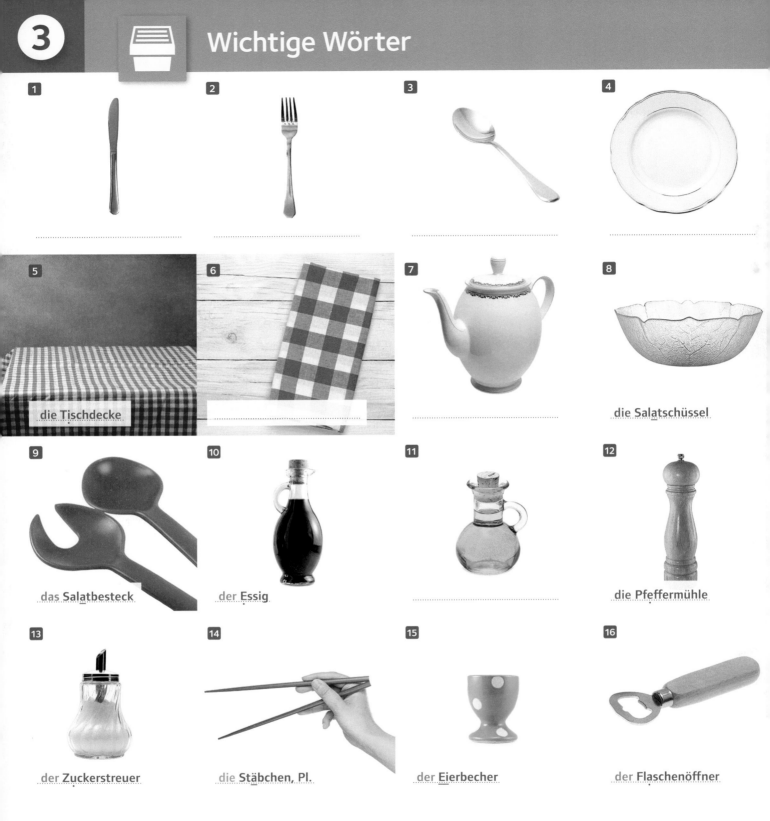

1 ....

2 ....

3 ....

4 ....

5 die Tischdecke

6 ....

7 ....

8 die Salatschüssel

9 das Salatbesteck

10 der Essig

11 ....

12 die Pfeffermühle

13 der Zuckerstreuer

14 die Stäbchen, Pl.

15 der Eierbecher

16 der Flaschenöffner

5   Ergänzen Sie die Wörter mit Artikel und Plural.

🔊 **6**   Hören Sie die neuen Wörter und sprechen Sie nach.
1.19

7   Was brauchen Sie wofür? Schreiben Sie Sätze wie im Beispiel.

> *Ich möchte einen Salat machen. Ich brauche ...*

8 Gerichte. Ordnen Sie zu.

1 ☐ Matjesfilet mit Salat
2 ☐ Schweineschnitzel mit Gemüse und Kartoffelsalat
3 ☐ Hähnchen mit Reis und Gemüse
4 ☐ Spaghetti mit Basilikum-Pesto und Tomaten
5 ☐ Sauerbraten mit grünen Bohnen und Klößen
6 ☐ Rindergeschnetzeltes mit Gemüsereis

9 Mögen Sie ...? Sprechen Sie über die Gerichte.

> *Die Spaghetti sehen lecker aus. Fleisch esse ich nicht, weil ich Vegetarier bin.*

> *Ich esse sehr gern ...*

1a Wie heißen die Wörter? Schreiben Sie die Wörter mit Artikel.

terUnricht   fachlingsLieb   plandenStun   arpenGrupbeit

....

schichGete   thetikmaMa   hofSchul   rinreLeh

....

1b Schreiben Sie mit den Wörtern aus 1a Sätze.

1 ....

2 ....

3 ....

4 ....

5 ....

6 ....

7 ....

8 ....

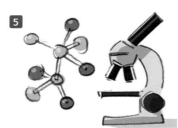

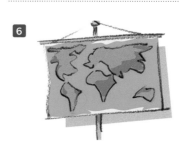

2a Welche Fächer sind das? Ordnen Sie zu.

Physik • Mathematik • Biologie • Englisch • Kunst • Erdkunde

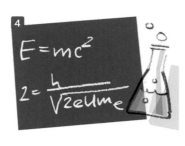

4

$E = mc^2$

$2 = \dfrac{4}{\sqrt{2}eume}$

◀)) 1.20 **2b** Hören Sie das Interview. Welche Fächer nennt Herr Vogel? Notieren Sie.

....

◀)) 1.20 **2c** Hören Sie noch einmal und kreuzen Sie an: Richtig oder falsch?

		R	F
1	Die Lehrerin Frau Peters war streng.	☐	☐
2	Die Schüler haben die Lehrer nicht gemocht.	☐	☐
3	Der Unterricht hat morgens um 8 Uhr angefangen.	☐	☐
4	Der Unterricht hat nachmittags aufgehört.	☐	☐
5	Am Nachmittag hat Herr Vogel immer Fußball gespielt.	☐	☐
6	Er hat nicht gerne Physik gemacht.	☐	☐

A   Schulen in Deutschland

3 Die Schulzeit von Paula. Lesen Sie den Text im Kursbuch auf Seite 41 noch einmal und schreiben Sie 4 Sätze mit den Begriffen im Schüttelkasten.

> Berufsschule • Grundschule • Gesamtschule • Kita

Paula ist zuerst in die Kita gegangen. Dann ...

....

....

....

◀)) 1.21 **4a** Die Mutter von Filip erzählt. Hören Sie das Interview und ordnen Sie zu.

1	Wenn Filip eine Zwei in Mathe hat,	A	dann muss er an der Universität studieren.
2	Wenn er mit der Schule fertig ist,	B	kann er viel Geld verdienen.
3	Wenn er Arzt werden möchte,	C	möchte er Arzt werden.
4	Wenn er Arzt ist,	D	dann kann er auf das Gymnasium gehen.

4b Schreiben Sie die Sätze aus 4a wie im Beispiel und unterstreichen Sie die Verben in den Sätzen.

1 *Wenn Filip eine Zwei in Mathe hat, dann kann er ...*

2 ....

3 ....

4 ....

5 Ordnen Sie die *wenn*-Sätze und schreiben Sie sie in Ihr Heft.

1 macht – ein Schüler – wenn – eine Ausbildung – , geht er in die Berufsschule.
2 Erol – wenn – schafft – das Abitur – , dann kann er zur Universität gehen.
3 das Abitur – wenn – will – Corinna – machen – , dann muss sie zum Gymnasium oder zur Gesamtschule gehen.
4 will – machen – wenn – eine Ausbildung – Nico – , kann er zur Realschule gehen.
5 Kaja – in der vierten Klasse – wenn – hat – gute Noten – , kann sie auf das Gymnasium gehen.

1. Wenn ein Schüler eine Ausbildung macht, geht er in die Berufsschule.

6 Noten in Deutschland. Ordnen Sie zu.

☐ mangelhaft • ☐ gut • ☐ befriedigend • ☐ ungenügend • ☐ sehr gut • ☐ ausreichend

Sophie Scholl — Gesamtschule

Zeugnis

Naima Mebes

geboren am 17. Mai 2003   Schuljahr: 2015/2016   1. Halbjahr | Klasse: 5a

Deutsch	3	Englisch	2	Musik	2	Physik	6	Sport	3
Mathematik	4	Geschichte	2	Biologie	5	Chemie	4	Kunst	1

7a Was passt zusammen? Ordnen Sie zu.

1 Meine Tochter räumt nicht auf.
2 Du rufst nicht an.
3 Das Wetter ist gut.
4 Ich muss viel arbeiten.
5 Sina macht Sport.

A Ich trinke viel Kaffee.
B Sie darf nicht fernsehen.
C Ich bin traurig.
D Sie trinkt viel Wasser.
E Ich gehe spazieren.

7b Schreiben Sie die Sätze aus 7a mit *wenn ... dann* in die Tabelle.

1 Wenn .... , dann ....
2 Wenn .... , dann ....
3 Wenn .... , dann ....
4 Wenn .... , dann ....
5 Wenn .... , dann ....

8 Schreiben Sie die Sätze wie im Beispiel.

1 Wenn André krank ist, kann er den Test nachschreiben.

André kann den Test nachschreiben, wenn er krank ist.

2 Wenn dein Kind krank ist, musst du eine Entschuldigung schreiben.

....

3 Wenn du die Stelle haben willst, kannst du bei der Firma anrufen.

....

4 Wenn man etwas nicht versteht, kann man den Lehrer fragen.

....

5 Wenn Kinder Probleme in der Schule haben, können sie Nachhilfe bekommen.

....

9a Was machen Sie, wenn ... ? Schreiben Sie Fragen wie im Beispiel.

1 müde sein   *Was machen Sie, wenn Sie müde sind?*

2 Fieber haben

3 die Hose zu klein sein

4 nicht schlafen können

5 nicht fit sein

6 das Wetter schön sein

7 zwei Wochen Urlaub haben

9b Beantworten Sie die Fragen aus 9a mit *wenn*-Sätzen.

> einen Kaffee trinken • zum Arzt gehen • weniger essen • spazieren gehen •
> Sport machen • einen Film sehen • eine neue Hose kaufen •
> im Bett bleiben • Freunde treffen • Musik machen • Kanu fahren

1 *Wenn ich müde bin, trinke ich einen Kaffee.*

2 ....

3 ....

4 ....

5 ....

6 ....

7 ....

9c Hören Sie die Fragen und antworten Sie mit Ihren Sätzen aus 9b.
1.22

B Elternabend

10a Fragen auf einem Elternabend. Schreiben Sie die Fragen in Ihr Heft.

1 in der Pause – die Kinder – verlassen – Dürfen – den Schulhof – ?
2 muss – in die Klassenkasse – ich – einzahlen – Wie viel Euro – ?
3 im letzten Monat – der Chemieunterricht – Warum – ist – ausgefallen – ?
4 für den Kunstunterricht – brauchen – Was – die Kinder – ?

10b Schreiben Sie vier Fragen zu den Fotos.

1. Dürfen die Kinder Handys ...

11 Welches Wort passt? Ergänzen Sie die Sätze.

> Ausflug • Taschengeld • Klassenfahrt • Klassenarbeiten

1 Wenn eine Klasse für ein paar Tage zusammen wegfährt, dann macht sie eine

....

2 Viele Kinder bekommen von ihren Eltern regelmäßig etwas Geld. Das Geld heißt

....

3 Wenn eine Schulklasse einen Tag nicht in der Schule ist und z.B. zusammen in den Zoo

geht oder etwas besichtigt, dann ist das ein ....

4 In der Schule müssen die Schüler regelmäßig Tests schreiben. Diese Tests sind wichtig für

die Note. Sie heißen ....

C Schule früher und heute

12 Wiederholung: Modalverben. Kreuzen Sie an: Was passt?

1 ☐ A Sie können gut zusammen lernen.
☐ B Sie müssen zusammen lernen.

3 ☐ A Er will lernen.
☐ B Er muss lernen.

2 ☐ A Sie muss in die Disco gehen.
☐ B Sie darf in die Disco gehen.

4 ☐ A Er will neben Nina sitzen.
☐ B Er muss neben Nina sitzen.

13 Welches Verb passt? Ergänzen Sie den Text.

> durften • wollte • musste • konnte • musste • konnte • wollten

Nach der Grundschule ....¹ ich in unserem Dorf auf die Realschule gehen. Aber ich ....² sehr gut Mathe. Deshalb ....³ meine Lehrerin und meine Eltern, dass ich auf ein Gymnasium in Frankfurt gehe. Ich ....⁴ jeden Morgen um halb sieben mit dem Bus nach Frankfurt fahren. Ich war erst am Nachmittag wieder zu Hause und dann ....⁵ ich noch Hausaufgaben machen. Denn wir ....⁶ die Hausaufgaben nicht in der Schule machen, das war anstrengend. Jetzt bin ich aber froh, dass ich auf das Gymnasium gegangen bin, weil ich mit dem Abitur studieren ....⁷. Ich bin jetzt Informatikerin.

Elif Nal, 29 Jahre

14 Modalverben im Präteritum. Ergänzen Sie die Tabelle.

	wollen	können	müssen	dürfen
ich				
du	wolltest			
er/es/sie/man				
wir		konnten		
ihr			musstet	
sie/Sie				durften

15 *Dürfen, können* oder *wollen*? Ergänzen Sie die Modalverben im Präteritum.

1 dürfen - können – wollen

● Ich .... schon mit fünf Jahren schwimmen. Wann hast du schwimmen gelernt?

● Ich .... auch schon mit fünf Jahren einen Schwimmkurs machen. Aber ich .... den Kurs nicht machen. Ich hatte Angst.

2 dürfen – dürfen – müssen

● Wir .... früher nicht im Klassenzimmer spielen. Das war verboten.

● Ja, bei uns auch. Wir .... in den Pausen immer rausgehen. Wir .... nicht im Klassenzimmer bleiben.

3 können – wollen – wollen

● Was .... Sie Frau Peters fragen?

● Ich .... etwas mit ihr besprechen, aber sie .... nicht, sie hatte keine Zeit.

4

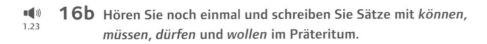 **16a** Die Schulzeit von Frau Sánchez. Hören Sie das Interview und streichen Sie die falschen Wörter.
1.23

1. Frau Sánchez war gerne / ~~nicht so gerne~~ in der Schule.
2. Die Lehrer waren streng / nicht streng.
3. Die Prüfungen waren schwieriger/einfacher als heute.
4. Schwimmen im Meer war gefährlich / nicht so gefährlich.

Catalina Sánchez

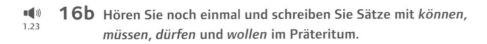 **16b** Hören Sie noch einmal und schreiben Sie Sätze mit *können*,
1.23 *müssen*, *dürfen* und *wollen* im Präteritum.

> viel lernen • verschiedene Kurse wählen • einen Abschluss bekommen •
> Hausaufgaben in der Schule machen • Hausaufgaben zu Hause machen •
> an den Strand gehen • schwimmen

Frau Sánchez musste viel ...

17 Was mussten, durften, wollten oder konnten Sie früher machen? Schreiben Sie Sätze.

....

....

....

18a Schreibtraining. Schreiben Sie die Sätze richtig und ergänzen Sie die Satzzeichen.

Fehler +++ Fehler +++ Fehler

ichmussjetztdeutschlernenweilichinderschuleinmeinerheimatkeindeutschgelernthabe

wennichnochdreimonatelernekannichdieprüfungmachen

wennichdiePrüfungbestehekannichleichtereineArbeitfinden

ichfindeesgutdassmeinkurssonettist

18b Lesen Sie den Lerntipp und kontrollieren Sie die Satzzeichen in 18a.

. , . , . , . ,

Lerntipp
Zwischen Haupt- und Nebensatz steht ein Komma.
Am Ende von einem Satz steht ein Punkt.

19a Briefe von der Schule. Lesen Sie die Briefe und tragen Sie die Termine in den Termin-
kalender ein. Beantworten Sie die Fragen: Was? Wann? Wo?

Liebe Eltern der 7c,

unser Elternabend ist am 25.05. um 19 Uhr in Raum 210.
Wir sprechen über die Klassenfahrt:
1. Wohin fahren wir? Nach Berlin, München oder ins Sauerland?
2. Welche Hilfe gibt es bei den Kosten für die Fahrt?
3. Wie viel Taschengeld dürfen die Kinder mitnehmen?

Wenn Sie noch mehr Fragen haben, dann können wir sie gerne am Dienstag
besprechen.

Herzliche Grüße
Ihr *Michael Hertel*

Liebe Eltern der 7c,

am Montag, den 23.05. gehen wir in den Film „Krabat". Geben Sie bitte Ihrem
Kind für den Film 5 € mit. Die Schüler und Schülerinnen sollen um 9.30 Uhr
am Hauptbahnhof sein. Der Film ist um 11.45 Uhr zu Ende. Bitte holen Sie Ihr
Kind um 12.30 Uhr vom Hauptbahnhof ab.

Unterschreiben Sie bitte den unteren Abschnitt, wenn Ihr Kind allein nach
Hause fahren darf. Ihr Kind muss den Abschnitt zur Schule zurückbringen.

Mit freundlichen Grüßen
Irene Beilig (Deutschlehrerin)

------------------------------✂

Mein Kind .... darf nach dem Film am
23.05. allein nach Hause gehen.

....
Unterschrift

MAI	
23 Montag	
24 Dienstag	
25 Mittwoch	
26 Donnerstag	

19b Lesen Sie die Briefe noch einmal und beantworten Sie die Fragen.

1 Wie heißt der Klassenlehrer von der Klasse 7c?
2 Was ist das Thema auf dem Elternabend?
3 Welchen Film will die Klasse 7c sehen?
4 Was sollen die Kinder mitbringen?
5 Um wie viel Uhr sollen die Eltern ihre Kinder abholen?
6 Wer soll unterschreiben?

das Fach, "-er ....

das Lieblingsfach, "-er ....

die Mathematik (Mathe), Sg. ....

die Biologie, Sg. ....

die Kunst, Sg. ....

die Physik, Sg. ....

die Chemie, Sg. ....

die Geschichte, Sg. ....

der Schulhof, "-e ....

der Stundenplan, "-e ....

streng ....

freundlich ....

A Schulen in Deutschland

die Grundschule, -n ....

die Hauptschule, -n ....

die Realschule, -n ....

das Gymnasium, Gymnasien ....

die Gesamtschule, -n ....

die Förderschule, -n ....

die Berufsschule, -n ....

das Abitur, Sg. ....

die Schulpflicht, Sg. ....

das Schuljahr, -e ....

dauern ....

der Abschluss, "-e ....

der Schulabschluss, "-e ....

das Zeugnis, -se ....

die Klasse, -n ....

zu Ende sein ....

fleißig ....

die Ausbildung, -en ....

die Autowerkstatt, "-en ....

der/die Kfz-Mechatroniker /in, -/-nen ....

der Studienplatz, "-e ....

die Abschlussprüfung, -en ....

bestehen ....

die Note, -n ....

die Prüfung, -en ....

die Nachhilfe, Sg. ....

mit drei Jahren ....

wenn ....

hoffen ....

klappen ....

es klappt ....

die Ferien, Pl. ....

Dinge tun ....

die Langeweile, Sg. ....

B Elternabend

der Elternabend, -e ....

der Raum, "-e ....

gemeinsam ....

besprechen ....

die Klassenkasse, -n ....

die Klassenfahrt, -en ....

die Klassenarbeit, -en ....

der Schwimmunterricht, Sg. ....

das Taschengeld, Sg. ....

C Schule früher und heute

pünktlich	....	leicht	 49
nachsitzen	....	der/die Jugendliche, -n/-n	....
der/die Klassenlehrer/in, -/-nen	....	die Schulzeit, Sg.	....
eine Frage stellen	....	der Schulweg, -e	....
der Hauptschulabschluss, "-e	....		....

1 **Ergänzen Sie die Sätze.**

1 Am Ende vom Schuljahr bekommen alle Schüler ein ....
2 Im Zeugnis steht für jedes Fach eine ....
3 Der Abschluss vom Gymnasium heißt ....
4 Ich möchte nicht studieren, ich mache eine ....
5 Musik, Mathematik und Deutsch sind ....
6 Wenn ein Schüler Probleme in der Schule hat, macht er oft extra Unterricht.

Dieser Unterricht heißt ....

2 **Komposita. Was passt zusammen? Schreiben Sie die Wörter mit Artikel.**

Schul- • Klassen- • Sport- • Deutsch- • Kunst-

-unterricht • -ausflug • -fahrt • -abschluss • -tasche • -bus • -hof • -lehrer

der Schulausflug   *die Klassen...*

3 **Welches Verb passt nicht? Streichen Sie.**

1 eine Prüfung — besuchen – bestehen – machen
2 Nachhilfe — geben – nachsitzen – bekommen
3 eine Ausbildung — machen – gehen – schaffen
4 Taschengeld — geben – bekommen – bestehen

4 **Wörter hören und nachsprechen. Hören Sie zu und sprechen Sie nach.** (1.24)

1 Mathematik – Physik – Chemie – Biologie
2 der Schulabschluss – der Jugendliche – die Ausbildung – die Abschlussprüfung
3 eine Prüfung bestehen – Fächer wählen – Fragen gemeinsam besprechen

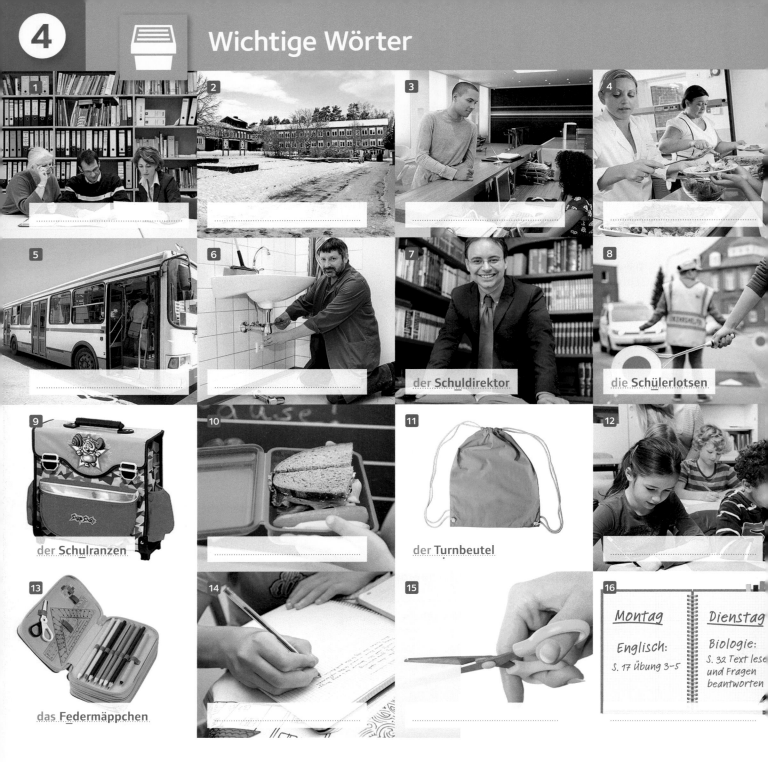

der **Schuldirektor**

die **Schülerlotsen**

der **Schulranzen**

der **Turnbeutel**

das **Federmäppchen**

Montag
Englisch:
S. 17 übung 3–5

Dienstag
Biologie:
S. 32 Text lese
und Fragen
beantworten

5 Ergänzen Sie die Wörter.

> das Lehrerzimmer • der Schulhof • das Hausaufgabenheft •
> der Schulbus • der Hausmeister • der Chemieraum • der Schulchor •
> der Sportplatz • die Brotdose • der Computerraum • die Klassenarbeit • der
> Schreibblock • die Schere • das Sekretariat • der Klassenraum • die Schul-
> kantine • der Kunstunterricht • die Schultüte • die Klassenfahrt

6 Hören Sie die Wörter und sprechen Sie nach.

1.25

der Werkraum

die Turnhalle

der Hort

die Bibliothek

die Theater-AG

der Ausflug

das Schulfest

die Abschlussfeier

7   Sehen Sie die Fotos noch einmal an und beantworten Sie die Fragen.

1 Wo kann man anrufen oder vorbeigehen und Informationen bekommen?
2 Wo machen die Schüler Sport?
3 Was bringen die Schüler in die Schule mit?
4 Wo sind die Lehrer in der Pause?
5 Wo sind die Schüler in der Pause?
6 Was bekommen die Schüler an ihrem ersten Schultag?
7 Was ist im Schulranzen?
8 Was können die Schüler nach dem Unterricht machen?
9 Welche Feste gibt es in der Schule?

1 Lesen Sie und ergänzen Sie in A-G.

✓	✗		**Ich kann auf Deutsch**
☐	☐	**A**	über mein Leben in Deutschland berichten.

Heimat und Ankunft in Deutschland: *Ich komme aus* ....

Wohnort/Wohnorte in Deutschland: ....

Arbeit in Deutschland: ....

Freunde und Verwandte in Deutschland: ....

☐	☐	**B**	meine Meinung über das Fernsehen oder das Internet sagen.

> Viele Kindersendungen sind gut. • Kinder sehen nicht viel fern. • Das Internet bietet mehr Informationen als das Fernsehen. • Es gibt zu viel Werbung. • ...

Ich finde, dass ....

Ich finde es wichtig, dass ....

Ich denke, dass ....

Für mich ist das Internet

☐ wichtig, weil ....

☐ nicht wichtig, weil ....

Ich sehe gern / nicht gern fern,

weil ....

☐	☐	**C**	beschreiben, wie man eine E-Mail schreibt.

> auswählen • schließen • öffnen • abschicken • schreiben

Zuerst .... man das E-Mail-Programm. Dann .... man

den Empfänger .... und .... den Betreff und danach

den Text. Dann .... man die E-Mail .... und

.... das Programm.

	✔	✗

D über das Wochenende erzählen. ☐ ☐

Samstags gehe ich ....

....

Sonntags ....

....

E von der letzten Woche erzählen. ☐ ☐

> vormittags Deutsch lernen • von Montag bis Donnerstag arbeiten • am Freitag ins
> Schwimmbad gehen • am Freitagabend mit Freunden im Restaurant essen

Vormittags habe ich Deutsch gelernt ....

....

....

....

F im Restaurant Essen und Getränke bestellen. ☐ ☐

- Möchten Sie bestellen?

- Ja, ich .... gern ....

  ....

- Und was möchten Sie trinken?

- Ich ....

Hauptspeisen	
Hähnchen mit Reis und Gemüse	11,00 €
Matjesfilet	9,90 €
Getränke	
Fanta/Cola/Sprite	2,40 €
Bier	2,10 €
Weißwein	4,50 €

G von meiner Schulzeit erzählen. ☐ ☐

In der Schule musste ich ....

Ich durfte ....

Ich wollte ....

2 Kontrollieren Sie mit den Lösungen und markieren Sie ✔ für *kann ich* und ✗ für *kann ich nicht so gut.*

Teil 1 — 1.26

Sie hören vier Ansagen. Zu jeder Ansage gibt es eine Aufgabe. Welche Lösung (a, b oder c) passt am besten? Markieren Sie Ihre Antworten auf dem Antwortbogen (s. Lösungsheft, Seite 17).

Beispiel:

Warum ruft die Firma an?

a Der Kunde kann den Fernseher kaufen.

b Der Kunde kann den Fernseher zur Reparatur bringen.

c Der Kunde kann den Fernseher abholen.

a   b   c

1 Was soll Elwa machen?

a Die Kinokarten reservieren.

b Die Kinokarten abholen.

c Um acht Uhr zum Kino kommen.

2 Sie brauchen schnell einen Termin beim Arzt. Was können Sie machen?

a Am Nachmittag noch einmal anrufen.

b Morgen noch einmal anrufen.

c Bei einer anderen Praxis anrufen.

3 Wann können Sie nach Berlin fahren?

a Um 8.06 Uhr.

b Um 8.11 Uhr.

c Um 8.33 Uhr.

4 Sie wollen in die Innenstadt. Wo können Sie umsteigen?

a An der Parkstraße.

b Am Technischen Rathaus.

c Am Hauptbahnhof.

Teil 2 — 1.27

Sie hören fünf Ansagen aus dem Radio. Zu jeder Ansage gibt es eine Aufgabe. Welche Lösung (a, b oder c) passt am besten? Markieren Sie Ihre Antworten auf dem Antwortbogen.

5 Was hören Sie?

a Einen Wetterbericht.

b Eine Verkehrsmeldung.

c Eine Werbung.

6 Wie wird das Wetter in Süddeutschland?

a Die Sonne scheint.

b Es ist windig.

c Es regnet.

7 Wo ist der Stau?

a Auf der A 1.

b Auf der A 4.

c Auf der A 43.

8 Was gibt es heute Abend im Fernsehen?

   a Eine Sportsendung.

   b Eine Talkshow.

   c Einen Krimi.

9 Wann kann man auf dem Markt einkaufen?

   a Am Samstag.

   b Am Freitag.

   c Am Mittwoch.

Teil 3 **Sie hören vier Gespräche. Zu jedem Gespräch gibt es zwei Aufgaben. Entscheiden Sie bei den Gesprächen, ob die Aussage dazu richtig oder falsch ist und welche Aussage (a, b oder c) am besten passt. Markieren Sie Ihre Antworten auf dem Antwortbogen.**

Beispiel:

Die Frau möchte einen Mantel kaufen.

Was ist richtig?

   a Der Mantel kostet 44 Euro.

   b Die Frau hat die Größe 44.

   c Der Frau gefällt der braune Mantel nicht.

richtig falsch

a   b   c

10 Eine Verkäuferin spricht mit einem Kunden.

11 Was ist das Thema in dem Gespräch?

   a Der Mann ist mit dem Radio nicht zufrieden.

   b Der Mann möchte ein Radio kaufen.

   c Die Frau erklärt das Radio.

12 Herr Peters und Herr Varese sind Nachbarn.

13 Die Mülltonnen sind

   a kaputt.

   b sehr teuer.

   c immer voll.

14 Frau Yildirim lernt bei Frau Busch Deutsch.

15 Was soll Frau Yildirim machen?

   a Sie soll mehr Deutsch lernen.

   b Sie soll mit ihrem Sohn in die Schule kommen.

   c Sie soll Frau Busch zu Hause besuchen.

16 Herr Waldvogel besichtigt eine Wohnung.

17 Die Wohnung

   a ist im Erdgeschoss.

   b ist in der Hauptstraße.

   c kostet mit Nebenkosten 450 Euro.

1a Welche Berufe sind das? Schreiben Sie.

> In • herin • ken • Pi • ge • Kran • nastin • lot • zie • nieur • gym • Er

1 .... 2 .... 3 .... 4 ....

1b Was wollten die Leute früher werden, was sind sie heute? Hören und ergänzen Sie.
🔊 1.29

	früher	heute
1		
2		

2 Was wollten Sie früher werden? Welchen Beruf haben Sie heute oder welchen Beruf wollen Sie lernen? Warum? Schreiben Sie die Antworten.

....

....

A Im Büro

3a Fragen am Arbeitsplatz. Schreiben Sie Fragen. Achten Sie auf die Verbformen.

1 heute – Sie – im Büro – wie lange – sein – ?

• .... • Heute nicht so lange, nur bis drei Uhr.

2 wo – ich – bekommen – einen Büroschlüssel – ?

• .... • Fragen Sie doch den Hausmeister.

3 Herr Gayim – kommen – heute – wann – ?

• .... • Herr Gayim? Ich denke, erst um zehn Uhr.

4 kommen – warum – Sie – so spät – ?

• .... • Entschuldigen Sie, der Bus hatte Verspätung.

3b Schreiben Sie die Fragen aus 3a als indirekte Fragen.

1 Darf ich fragen, *wie lange* *Sie heute im Büro* *sind?*

2 Können Sie mir erklären, ...

3 Wissen Sie, ...

4 Können Sie mir sagen, ...

4 Das Verb *wissen*. Ergänzen Sie die Dialoge.

im Kindergarten

● .... ihr, wer ein Flugzeug steuert?

● Ich .... es! Das ist der Pilot!

● Richtig, Dominic. .... du auch, wer Flugzeuge baut?

● Hmm. Nein, das .... ich nicht.

im Büro

● .... Sie, wann der Kollege kommt?

● Nein, das .... ich leider nicht. Aber Frau Fink

.... es bestimmt.

● Vielleicht .... es auch Herr Lakatos und Frau Melnik.

5 Schreiben Sie die Wörter richtig und ergänzen Sie den Artikel und den Plural.

nerOrd • wortPass • nungRech • sungweiÜber • erDruck • selSchlüs

1 .... 2 .... 3 ....

4 .... 5 .... 6 ....

6a Schreiben Sie formelle Fragen und Antworten.

Können Sie mir sagen, … • Wissen Sie, … • Darf ich fragen, …

1 wo – sein – Herr Müller – ? Kantine

● .... ● *Ja, Herr Müller ist in der Kantine.*

2 wie viel – kosten – das Auto – ? 25.000 Euro

● .... ● ....

3 wer – gerade – angerufen – haben – ? nicht wissen

● .... ● ....

6b   Schreiben Sie informelle Fragen und Antworten.

> Kannst du mir sagen, … • Weißt du, … • Darf ich fragen, …

1 wohin – in Urlaub – fahren – du – ?   nach Spanien

● ....   ● ....

2 wann – anfangen – das Quiz – ?   um 20.15 Uhr

● ....   ● ....

3 wie lange – du – in Deutschland – sein – ?   zwei Jahre

● ....   ● ....

7   Sehen Sie die Bilder an. Schreiben Sie passende Fragen und Antworten.

● ....

● ....

● ....

● ....

● ....

B   Mitteilungen

8   Lesen Sie die Mitteilung und beantworten Sie die Fragen: Warum hat Herr Neumann morgen keine Zeit? Wann ruft er wieder an?

> Liebe Frau García,
>
> Herr Neumann hat angerufen. Er möchte Ihnen den neuen Prospekt zeigen. Aber er kann morgen nicht kommen, weil er einen Termin in Hamburg hat. Er ruft Sie am Donnerstag noch einmal an.
>
> Viele Grüße Ute Merkelmann

9a Personalpronomen im Dativ. Ergänzen Sie die Tabelle.

ich	du	er/es	sie	wir	ihr	sie/Sie

9b Ergänzen Sie die Personalpronomen.

> mir • dir • ihm • ihr • uns • euch • ihnen • ihnen • Ihnen

1 • Was suchen Sie? Kann ich .... helfen?

    • Ja, gerne. Ich suche meinen USB-Stick.

2 • Ich verstehe das nicht. Kannst du .... helfen?

    • Natürlich, ich helfe .... gerne.

3 Frau Maxwell hat heute sehr viel Arbeit. Können Sie .... helfen?

4 Herr Tandori hat Probleme mit dem Drucker. Können Sie .... helfen?

5 • Die neuen Kolleginnen, Frau Li und Frau Andres, kommen heute um 13 Uhr.

    Können Sie .... bitte helfen?

    • Ja, ich habe ab 13 Uhr Zeit und helfe .... gerne.

6 • Wir müssen bis 12 Uhr fertig sein. Könnt ihr .... helfen?

    • Tut mir leid. Wir haben auch viel zu tun und können .... nicht helfen.

10 Personalpronomen im Dativ. Ergänzen Sie die Dialoge.

1 • Anna und Marco waren heute im Kino.

    • Und hat .... der Film gefallen?

2 • Kannst du .... das Buch geben?

    • Ich habe .... doch das Buch schon gegeben.

3 • Gehst du zum Bäcker? Bringst du .... Kuchen mit? Für Hajo, Nezhad und mich?

    • Ja, ich bringe .... gerne etwas mit, wenn ihr .... Geld gebt.

4 • Herr Hoffmann hat hier seinen USB-Stick vergessen.

    • Nein, der gehört .... nicht, der gehört Paul.

5 • Haben Sie die E-Mail an Frau Natusch geschrieben?

    • Ja, ich habe .... die E-Mail schon gestern geschickt.

6 • So, jetzt habe ich die Tür repariert.

    • Das ist nett. Ich danke ...., Herr Mazanke.

11 Personalpronomen im Nominativ, Dativ oder Akkusativ? Ergänzen Sie.

> sie • sie • sie • ihn • ihr • ihm • er

Felicia Santos-Schmidt kommt aus Spanien. .... lebt jetzt in Hamburg, denn ihr Mann

Philipp ist Deutscher. Felicia hat .... in Spanien kennengelernt. Philipp war dort im

Urlaub. Im Mai haben .... geheiratet. Felicia ist gerne in Deutschland. Das Land gefällt

................, auch Hamburg mag .... Aber Philipp möchte lieber nach München ziehen,

denn die Stadt gefällt .... besser als Hamburg. .... sucht jetzt eine Arbeit in
München.

12 Mitteilungen schreiben. Ordnen Sie zu und ergänzen Sie die Textteile.

> Liebe Grüße • einen Tisch im Restaurant reservieren • Liebe Frau Lüttich, •
> in die Disco. • Kommst du mit? • Könnten Sie das bitte machen?

1

wir müssen noch ....

....

....

Vielen Dank
Daniel Adila

2

Hallo Lena, wir gehen heute

....

....

....

.... Anton

13 Schreiben Sie zwei Mitteilungen in Ihr Heft.

1 Der Briefträger hat bei Ihnen ein Paket für Ihre Nachbarin (Frau Peneva) abgegeben. Ihre
Nachbarin kann das Paket morgen abholen.

2 Sie arbeiten am Computer und verstehen das Computerprogramm nicht. Sie bitten einen
Kollegen (Robert Hering), dass er Ihnen hilft.

C Wie funktioniert das?

14 Welcher? Dieser! Welche Antwort passt? Ordnen Sie zu.

1 Welcher Kopierer ist kaputt?
2 Welche Taste ist die Start-Taste?
3 Welche Fächer sind für das A4-Papier?
4 Welches Papier gehört in das große Fach?

A Diese hier.
B Dieses hier.
C Dieser hier.
D Diese hier.

15 *Welch-* und *dies-* im Nominativ und Akkusativ. Ergänzen Sie die Dialoge.

welchen • welches • diese • dieses • diesen • dieser • diesen • ~~welche~~ • ~~diese~~

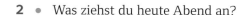

1 • Also, *welche* Hose nimmst du jetzt?

  • Vielleicht *diese* hier.

  • Einverstanden. Und .... Hemd gefällt dir?

  • .... hier.

2 • Was ziehst du heute Abend an?

  • Ich ziehe .... Anzug und .... Schuhe an.

  • Ach, ... Anzug gefällt mir nicht. Ich finde .... Anzug hier schöner!

  • ....?

  • Den blauen natürlich!

16 Eine Bedienungsanleitung. Was macht man wo? Verbinden Sie.

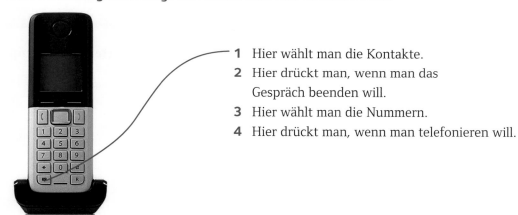

1 Hier wählt man die Kontakte.
2 Hier drückt man, wenn man das Gespräch beenden will.
3 Hier wählt man die Nummern.
4 Hier drückt man, wenn man telefonieren will.

D   Situationen am Arbeitsplatz

17 Ordnen Sie die Dialoge und schreiben Sie sie in Ihr Heft.

Dialog 1

☐ Okay. Gehen Sie zum Arzt? • ☑1 Autohaus König, Tom Hansen. • ☐ Ja, ich schicke dann eine Krankschreibung. • ☐ Guten Morgen, Herr Hansen, hier ist Luisa Wagner. Ich bin krank und bleibe heute zu Hause. • ☐ Vielen Dank! • ☐ Gut, dann gute Besserung!

Dialog 2

☑1 Herr Ehlich, sind die Zeitschriften schon im Regal? • ☐ Ja, bitte. • ☐ Dann machen Sie es jetzt, bitte. • ☐ Nein, ich hatte noch keine Zeit. Ich war an der Kasse. • ☐ Soll ich danach wieder an die Kasse gehen?

◀)) **18** In der Kantine. Ergänzen Sie den Dialog. Hören Sie danach den Dialog und sprechen Sie
1.30 die 👄-Rolle.

> In Hamburg war es nicht schlecht, aber hier ist es interessanter. • Entschuldigung,
> ist der Platz noch frei? • Nein, früher habe ich in der Abteilung in Hamburg gearbeitet. •
> Ich heiße Doreen Berten.

•
....

👄 Ja, klar. Ich habe Sie hier noch nicht gesehen. Sind Sie neu in der Firma?

•
....

👄 Und wo gefällt es Ihnen besser? Hier in Berlin oder in Hamburg?

•
....

👄 Übrigens, mein Name ist …

•
....

👄 Wenn Sie Fragen haben, helfe ich Ihnen gerne.

19a Schreibtraining. Diese Mitteilung ist informell. Lesen Sie die Mitteilung und ergänzen
Sie die Satzzeichen.

Fehler +++ Fehler +++ Fehler

> *Hallo Danylo*
> *leider kann ich morgen Nachmittag nicht zu unserem*
> *Termin kommen*
> *Könnten wir den Termin verschieben*
> *Bitte sag mir Bescheid*
> *LG Tobias*

.,?.

19b Schreiben Sie die Mitteilung in formeller Form (Sie-Form) und unterschreiben Sie mit
Ihrem Namen. Der Kollege heißt Danylo Kunis.

....

....

....

....

....

20 Ein Betriebsausflug. Lesen Sie die E-Mail und beantworten Sie die Fragen.

Liebe Kollegen und Kolleginnen,

es ist wieder Sommer und wie jedes Jahr findet unser Betriebsausflug statt. Am 17.7. bleibt die Firma geschlossen. Treffpunkt ist der Bahnhof in Karlsruhe, am Gleis 3, um 9.00 Uhr. Wir fahren nach Baden-Baden und besuchen das Frieder Burda Museum. Um 13.00 Uhr gibt es Mittagessen im Restaurant Sterntaler. Nach dem Mittagessen machen wir noch einen Spaziergang durch die Stadt und fahren um 17.00 Uhr zurück. Den Eintritt für das Museum (8 Euro) müsst ihr selbst bezahlen. Das Essen im Restaurant zahlt die Firma. In der Küche ist eine Liste. Tragt dort bis Freitag eure Namen ein, wenn ihr mitkommen wollt.

Viele Grüße
Steffi

1 Wann findet der Betriebsausflug statt?

....

2 Wohin fahren die Kollegen?

....

3 Was machen sie am Vormittag?

....

4 Wer bezahlt was?

....

5 Was machen sie am Nachmittag?

....

1.31

21 Meinungen über Betriebsausflüge. Welche Aussagen passen zu den Sätzen A–D? Hören Sie und ordnen Sie zu.

A ☐ Der letzte Betriebsausflug war interessant.
B ☐ Bei einem Betriebsausflug kann man die Kollegen besser kennenlernen.
C ☐ Betriebsausflüge sind langweilig.
D ☐ Betriebsausflüge sind nur gut, wenn die Chefs auch mitkommen.

der Arbeitsplatz, "-e

der/die Polizist/in, -en/-nen

der/die Pilot/in, -en/-nen

der/die Erzieher/in, -/-nen

der/die Krankengymnast/
in, -en/-nen

als: Er arbeitet als Erzieher.

planen

die meisten

A Im Büro

wissen

der Ordner, -

das Passwort, "-er

der Drucker, -

Keine Ahnung!

Hier drüben.

höflich

B Mitteilungen

die Mitteilung, -en

die Nachricht, -en

der Bericht, -e

der Arbeitskollege, -n

der/die Mitarbeiter/
in, -/-nen

das Computerprogramm, -e

installieren

einen Termin verschieben

der Anruf, -e

zurück ﹜rufen

Bescheid sagen

der Prospekt, -e

zeigen

vor ﹜stellen

der Kaffeeautomat, -en

die Betriebsversammlung, -en

der Betriebsrat, "-e

die Pausenregel, -n

der Arzttermin, -e

C Wie funktioniert das?

das Gerät, -e

der Getränkeautomat, -en

der Kopierer, -

die Taste, -n

drücken

dieser, -s, -e

das Fach, "-er

das A4-Papier, Sg.

aus ﹜schalten

ein ﹜schalten

ein ﹜werfen

D Situationen am Arbeitsplatz

der/die Marktleiter/in, -/-nen

die Buchhaltung, -en

die Technik, Sg.

der technische Service

Platz nehmen

die Spedition, -en

ein ﹜räumen

1a Berufe. Finden Sie sechs Berufe. Schreiben Sie wie im Beispiel.
Schwierig? Dann lesen Sie die Beschreibungen in 1b.

Q	S	T	H	I	L	O	P	Y	P	H	I	A	O	E	T
F	I	A	O	M	G	A	I	M	O	N	F	G	I	V	N
T	N	E	P	G	T	E	A	G	L	W	A	M	E	L	G
R	G	T	L	W	K	E	R	Z	I	E	H	E	R	T	O
U	E	H	A	V	A	G	Z	O	Z	O	R	L	E	L	A
B	N	E	K	P	U	N	T	A	I	O	E	W	G	B	E
L	I	N	I	T	G	A	O	E	S	U	R	T	I	P	N
A	E	W	L	H	U	L	B	A	T	V	I	A	O	H	O
S	U	G	I	B	E	I	H	K	S	M	G	A	K	G	S
K	R	A	N	K	E	N	G	Y	M	N	A	S	T	A	P

1 _der Fahrer_ / _die Fahrerin_   4 .... / ....

2 .... / ....   5 .... / ....

3 .... / ....   6 .... / ....

1b Wer macht was? Ordnen Sie die Berufe aus 1a zu.

1 Kinder betreuen: ....

2 Verkehrskontrollen machen: ....

3 Pakete bringen: ....

4 Übungen mit Patienten machen: ....

5 die Arbeit auf der Baustelle planen: ....

6 Medikamente verschreiben: ....

2 Welches Wort passt nicht? Streichen Sie.

1 ein Computerprogramm   installieren – schreiben – benutzen – drücken
2 einen Termin   machen – zurückrufen – verschieben – bekommen
3 ein Gerät   einschalten – ausschalten – zeigen – einwerfen

3 Wörter hören und nachsprechen. Hören Sie zu und sprechen Sie nach.
1.32

1 der Ingenieur – der Polizist – die Erzieherin – die Krankengymnastin
2 der Prospekt – die Kopie – das Gerät – der Bericht
3 Bescheid sagen – Platz nehmen – einen Termin verschieben

1. der Maurer
2. ....
3. ....
4. der Verputzer
5. der Fliesenleger
6. ....
7. ....
auf einer Baustelle
8. der Gabelstaplerfahrer
9. der Installateur
10. der Baggerfahrer
11. ....
12. ....

4 Auf einer Baustelle. Ergänzen Sie auf Seite 66 die Berufe.

> der Dachdecker • der/die Bauingenieur/in • der Schreiner •
> der Elektriker • der Lkw-Fahrer • der Maler

🔊 **5** Hören Sie die Berufe und sprechen Sie nach.
1.33

6 Gibt es auf einer Baustelle viele Berufe für Frauen? Wie sind Ihre Erfahrungen?
Erzählen Sie.

1 ....

2 ....

3 ....

4 der Fluglotse

5 ....

6 ....

7 die Flugbegleiterin

auf dem Flughafen

8 das Bodenpersonal

9 die Mitarbeiterin am Check-in-Schalter

10 ....

11 der Mitarbeiter bei der Sicherheitskontrolle

12 ....

7 Auf dem Flughafen. Ergänzen Sie auf Seite 67 die Berufe.

> der Polizist • der Gepäckfahrer • der Busfahrer •
> die Kellnerin • der Taxifahrer • der Pilot • die Reinigungskraft

8 Hören Sie die Berufe und sprechen Sie nach.
1.34

9 In welchen Berufen verdient man viel Geld, in welchen weniger? Wie sind Ihre Erfahrungen? Erzählen Sie.

6 Wohnen nach Wunsch

1a Wie wohnen die Leute? Lesen Sie den Text zu Foto 1 und ergänzen Sie die Sätze.

> in der Nähe • Balkon • keine Autos •
> Garten • in einem Dorf • ~~außerhalb~~ • ruhig • viel Platz

Die Leute wohnen _außerhalb_, vielleicht _____.

Das Haus ist groß und hat einen _____ und einen

_____. Die Straße ist sehr _____. Auf der Straße sind

_____. Kinder haben hier _____. Aber vielleicht gibt es

_____ keinen Supermarkt und keine Geschäfte.

1b Wie wohnen die Leute hier? Beschreiben Sie Foto 2 und 3. Schreiben Sie Sätze wie in 1a.

> angenehm • verkehrsgünstig • praktisch • zentral • außerhalb • ruhig • laut •
> der Balkon • der Spielplatz • die Einkaufsstraße • in einer Großstadt •
> in einem Vorort • viele Geschäfte • mit öffentlichen Verkehrsmitteln fahren

> *Auf Foto 2 sind viele Wohnungen. Es gibt ...*

🔊 1.35 1c Wo wohnen die Familien? Hören Sie und ordnen Sie die Fotos aus 1–3 zu.

☐ Familie Bach   ☐ Familie Kaven   ☐ Familie Müller

🔊 1.35 1d Hören Sie noch einmal. Warum gefällt den Familien ihre Wohnung / ihr Haus? Schreiben Sie für jede Familie drei Sätze mit *weil* in Ihr Heft.

> *1. Familie Bach findet ihre Wohnung gut, weil ...*

2 **Wo wohnen Frau Rasche und Herr Schnur? Lesen Sie den Dialog und ergänzen Sie die Artikel.**

● Frau Rasche, wohnen Sie in ein........ Großstadt?

● Nein, wir wohnen in ein........ Dorf. Wohnen Sie auch auf

 d........ Land?

● Nein, wir wohnen in d........ Stadt, wir wohnen in
 Mannheim.

● Ach, wie schön. Wohnen Sie da in ein........ Reihenhaus?

● Nein, wir wohnen in ein........ Wohnung in ein........
 Hochhaus.

● Und liegt d........ Wohnung zentral?

● Ja, sie liegt in d........ Innenstadt. Das ist praktisch. Und

 wohnen Sie gern auf d........ Land?

● Ja, sehr gern. Wir haben früher in ein........ Vorort von Stuttgart gewohnt. Jetzt haben wir

 ein........ Bauernhaus gekauft, das ist schön und sehr ruhig.

3 **Wiederholung: Komparativ. Wie ist das Leben in der Stadt und auf dem Land? Vergleichen Sie und schreiben Sie Sätze wie im Beispiel in Ihr Heft.**

> die Wohnungen sind günstig ● es gibt viele Geschäfte ● man findet leicht Arbeit ●
> man kann gut ausgehen ● die Wohnungen sind gut ● die Wohnungen sind teuer ● es ist
> ruhig ● die Straßen sind sauber ● man kann gut einkaufen ● die Kinder haben viel Platz

Stadt 👍	Stadt & Land 😐	Land 👍
	In der Stadt sind die Wohnungen genauso gut wie auf dem Land.	Auf dem Land sind die Wohnungen günstiger als in der Stadt.

4 **Wo wohnen Sie? Wo möchten Sie gern wohnen? Schreiben Sie drei Sätze.**

....

....

....

A   Eine Wohnung suchen

5a   Abkürzungen verstehen. Lesen Sie die Anzeigen und ordnen Sie zu.

> Nebenkosten • Kaltmiete • Monatsmieten • Erdgeschoss •
> 1. Stock (Obergeschoss) • ~~Zimmer~~ • Einbauküche • Quadratmeter •
> Balkon • Zentralheizung • Warmmiete • Küche • Telefonnummer

Zi.: Zimmer

3-Zi.-Wohnung in Haus mit 6 Parteien,
72 qm, 1. OG, BLK und EBK, KM 650 €,
150 € NK, Tel. 07641 210 234

4 Zimmer, Kü., Bad, im EG, Terrasse
und Garten, 120 m², ZH, WM 940 €,
3 MM Kaution. Tel. 0331 125436

5b   Anzeigen verstehen. Lesen Sie die Anzeigen in 5a und ergänzen Sie die Tabelle.

	Anzeige 1	Anzeige 2
Wie viele Quadratmeter?		
Wie viele Zimmer?		
Miete? / Kaution?		
Was gibt es Besonderes?		*Terrasse und Garten*

6   Eine Wohnung besichtigen. Was passt zusammen? Orden Sie zu.

1 Ist die Wohnung noch frei?
2 Wie hoch ist die Kaution?
3 Wann kann ich die Wohnung besichtigen?
4 Geht es am Samstag?

A Das sind zwei Monatsmieten.
B Nein, da kann ich leider nicht, aber es geht am Freitag.
C Tut mir leid, sie ist schon vermietet.
D Am Freitag ab 14 Uhr bin ich in der Wohnung.

◀))
1.36
7   Textkaraoke. Hören, lesen und sprechen Sie die ▭-Rolle im Dialog.

🎧 …

🗣 Guten Tag, mein Name ist … Ich habe Ihre Anzeige in der Zeitung gelesen.

🎧 …

🗣 Ja, genau. Ist die Wohnung noch frei?

🎧 …

🗣 Kann ich die Wohnung besichtigen?

🎧 …

🗣 Oh, aber ich arbeite bis 19 Uhr. Kann ich auch etwas später kommen?

🎧 …

🗣 Das geht. Vielen Dank, bis heute Abend.

8 Ergänzen Sie das Verb *lassen*.

1 Frau Marx _____ ihre Wohnung putzen.

2 Ich _____ mein Wohnzimmer streichen.

3 _____ du deine Möbel abbauen?

4 Wann _____ ihr eure Wohnung renovieren?

5 Wir _____ die Küche einbauen.

6 Herr und Frau Meyer _____ ihre Möbel transportieren.

9 Das schöne Leben von Frau Meyer. Ergänzen Sie die Sätze wie im Beispiel.

1 Frau Meyer holt die Kinder nicht selbst vom Kindergarten ab, sie *lässt sie abholen.*

2 Sie bügelt ihre Hemden nicht selbst, sie _____.

3 Sie kocht ihr Essen nicht selbst, sie _____.

4 Sie räumt die Wohnung nicht selbst auf, sie _____.

5 Sie bringt das Paket nicht selbst zur Post, sie _____.

B Der Umzug

10a In der Küche. Schreiben Sie die Wörter mit Artikel und Plural.

1. der Herd, die Herde; 2. ...

10b Wiederholung: Präpositionen mit Dativ. Wo ist was? Ergänzen Sie die Sätze.

1 Die Stühle stehen _____ Tisch.

2 Der Kühlschrank ist _____ Spülmaschine und _____ Herd.

3 Die Löffel liegen _____ Tisch.

4 Die Lampe hängt _____ Tisch.

5 Die Spüle ist _____ Spülmaschine.

6 Die Blumen stehen _____ Tisch.

11a **Zwei Wohnzimmer. Schreiben Sie die Wörter mit Artikel und Plural in Ihr Heft.**

1. der Schrank,
die Schränke, ...

11b **Präpositionen mit Akkusativ. Wohin kommen die Sachen? Ergänzen Sie die Sätze.**

1 Sie stellen den Schrank _____ Wand.

2 Er stellt das Regal _____ Schrank.

3 Er legt den Teppich _____ Boden.

4 Er hängt das Bild _____ Sofa.

5 Sie stellen den Tisch _____ Sofa.

6 Sie hängt die Lampe _____ Decke.

12 **Welches Verb passt? Ergänzen Sie die Sätze.**

1 liegen – stehen

Die Bücher _____ im Regal.

Die Bücher _____ auf dem Boden.

2 stellen – legen

Sie _____ die Blumen auf den Tisch.

Sie _____ die Blumen auf den Tisch.

3 stehen – stellen

Sie _____ die Tasche in die Ecke.

Die Tasche _____ in der Ecke.

4 legen – liegen

Er _____ die Brille auf den Tisch.

Die Brille _____ auf dem Tisch.

13a *Stehen* oder *stellen*? Ergänzen Sie das passende Verb.

1 ● Wohin soll ich die Gläser _____?

  ● _____ sie bitte auf den Tisch.

  ● Auf dem Tisch _____ doch schon Gläser.

2 ● Wo bist du?

  ● Siehst du mich nicht? Ich _____ die ganze Zeit hinter dir!

3 ● Wo _____ das Fahrrad?

  ● Ich habe es hinter das Haus _____.

13b *Liegen* oder *legen*? Ergänzen Sie das passende Verb.

1 ● Wo _____ Hamburg?

  ● Hamburg _____ im Norden von Deutschland.

2 ● Wie kann ich Kopien machen?

  ● _____ Sie das Papier auf den Kopierer und drücken Sie diese Taste.

C Die neuen Nachbarn

14 *Sich freuen – sich vorstellen – sich wohlfühlen*. Ergänzen Sie das passende Verb.

1 Wir sind neu in Berlin. Morgen _____ wir uns den Nachbarn _____.

2 Das Kind hat viele Geschenke bekommen. Es _____ sich.

3 Endlich kann Carmen chillen. Sie _____ sich _____.

15 Ergänzen Sie die Reflexivpronomen.

1 Familie Bergmann freut _____, weil sie endlich eine Wohnung gefunden hat.

2 Guten Tag, ich möchte _____ vorstellen, ich bin Ihre Lehrerin. Mein Name ist Frau Wagner. Stellen Sie _____ bitte auch vor. Möchten Sie anfangen?

3 ● Fühlst du _____ gut?

  ● Nein, ich glaube, ich werde krank. Ich fühle _____ ganz matt.

4 ● Morgen kommt Tante Loren. Freut ihr _____?

  ● Natürlich freuen wir _____. Sie bringt immer viele Geschenke mit.

5 ● Wie geht es Ihrem Mann?

  ● Danke, er fühlt _____ schon wieder ganz gut. Und wie geht es Ihrer Mutter?

  ● Danke, sie fühlt _____ noch ein bisschen erschöpft.

16 Dana und Erdem: eine romantische Geschichte. Ergänzen Sie die Verben im Perfekt und die Reflexivpronomen.

> sich treffen • sich verlieben • ~~sich kennenlernen~~ •
> sich entschuldigen • sich streiten • sich verlieben • sich entschuldigen

Wir haben *uns* vor einem Jahr in der Sprachschule in Essen

kennengelernt. Ich habe .... sofort in Erdem ....

und er hat .... auch in mich .... ☺. Wir haben ....

dann sehr oft im Stadtpark .... Dann war ich vier
Wochen nicht in Essen und wir haben uns vier Wochen NICHT

gesehen, das war ein Problem. Wir haben .... dann sehr

.... ☹. Aber Erdem hat .... schnell bei mir .... und

ich habe .... bei ihm .... Jetzt ist alles gut ☺.

17 Giorgia und Nicolo Stefano stellen sich vor. Schreiben Sie einen kurzen Text.

Familienname:	Stefano
Heimatland:	Italien
Wohnort:	Leipzig, Wohnung im Zentrum
Umzug:	vor einem Monat von Halle nach Leipzig
☺ :	sich in Leipzig wohlfühlen

Wir möchten uns vorstellen. Wir ...

18 Schreibtraining: Welche Worte schreibt man groß? Schreiben Sie den Text richtig
in Ihr Heft.

Fehler +++ Fehler +++ Fehler

unsere wohnung ist nicht groß, sie hat nur 67 quadrat-
meter. wir haben drei zimmer: ein wohnzimmer, ein
schlafzimmer und ein kinderzimmer. unsere einbauküche
ist ganz neu. manchmal ist es etwas laut, denn in der
nähe ist ein krankenhaus und wir hören oft den alarm
von den krankenwagen.

*Unsere Wohnung
ist nicht groß, ...*

19a Die Nebenkostenabrechnung. Lesen Sie den Brief und kreuzen Sie an. Was ist richtig?

A ☐ Herr Piontek muss noch etwas bezahlen.

B ☐ Herr Piontek bekommt Geld zurück.

Sehr geehrter Herr Piontek,

anbei die Abrechnung für Ihre Wohnung in der Bachstraße 3 (3. Stock).

Die Rückzahlung überweisen wir bis zum 31.9. auf Ihr Konto.

Mit freundlichen Grüßen

Monika Grundeis

19b Lesen Sie die Nebenkostenabrechnung und ordnen Sie die markierten Wörter A, B, C den Sätzen 1-3 zu.

1 ☐ Das hat der Mieter schon an den Vermieter bezahlt.

2 ☐ Das sind die Nebenkosten von Herrn Piontek für das ganze Jahr.

3 ☐ Das hat Herr Piontek zu viel bezahlt. Er bekommt dieses Geld zurück.

	Kosten 2015	Ihr Anteil
Allgemeinstrom	68,14 €	21,81 €
Straßenreinigung	41,99 €	14,27 €
Grundsteuer	481,75 €	142,28 €
Gebäudeversicherung	924,53 €	314,12 €
Wasser	568,80 €	213,26 €
Müllabfuhr	534,48 €	150,32 €
Wartung Heizung	0,00 €	0,00 €
Schornsteinfeger	89,46 €	44,73 €
A Gesamt		900,79 €
B Abschlag		960,00 €
C Rückzahlung		59,21 €

19c Die Nebenkostenabrechnung genauer lesen. Ergänzen Sie.

1 Wie viel kostet der Strom für das ganze Haus? Wie viel muss Herr Piontek bezahlen?

Haus: .... Herr Piontek: ....

2 Wie viel kostet der Müll für das ganze Haus? Wie viel muss Herr Piontek bezahlen?

Haus: .... Herr Piontek: ....

3 Wie viel kostet das Wasser für das ganze Haus? Wie viel muss Herr Piontek bezahlen?

Haus: .... Herr Piontek: ....

4 Wie viel müssen die Mieter für die Heizung (Wartung, Reparatur) bezahlen?

....

die Innenstadt, "-e ....

der Vorort, -e ....

zentral ....

außerhalb ....

verkehrsgünstig ....

öffentliche Verkehrsmittel ....

Ruhe haben ....

A Eine Wohnung suchen

MM = die Monatsmiete, -n ....

NK = die Nebenkosten, Pl. ....

KM = die Kaltmiete, Sg. ....

der/die Nachmieter/in, -/-nen ....

das Haustier, -e ....

die Kaution, -en ....

die Lage, -n ....

vermieten ....

die Einbauküche, -n ....

das WC, -s ....

renovieren ....

die Renovierung, -en ....

lassen ....

ich lasse renovieren ....

ich renoviere selbst ....

der Auftrag, "-e ....

transportieren ....

auf{hängen ....

B Der Umzug

legen ....

liegen ....

stellen ....

hängen ....

stehen ....

der Hammer, "- ....

der Nagel, "- ....

die Tapete, -n ....

die Leiter, -n ....

streichen ....

tapezieren ....

einverstanden ....

die Meinung, -en ....

C Die neuen Nachbarn

sympathisch ....

unsympathisch ....

unfreundlich ....

sich kennen{lernen ....

sich freuen ....

sich fühlen ....

sich wohlfühlen ....

sich verlieben ....

sich küssen ....

sich trennen ....

sich streiten ....

sich entschuldigen ....

stark ....

schwach ....

einsam ....

fremd ....

erschöpft ....

hoffentlich ....

1 Wie fühlen sich die Personen? Ordnen Sie zu und schreiben Sie Sätze.

| stark • schwach • einsam • erschöpft • krank • matt • fit • prima • schlecht |

....

....

....

....

2 Was bedeuten die Wörter? Ordnen Sie zu.

| öffentliche Verkehrsmittel • der Vermieter • die Monatsmiete • zentrale Lage |

1 Das bezahlt man jeden Monat für die Wohnung: ....

2 Züge, Busse und Bahnen sind: ....

3 Wenn eine Wohnung nicht weit von der Innenstadt liegt, hat sie eine ....

4 Die Wohnung / Das Haus gehört dieser Person, sie bekommt die Miete: ....

3 Was passt? Orden Sie die Verben zu.

| sich verlieben • sich trennen • sich kennenlernen • sich entschuldigen • sich streiten |

1 nicht zusammen bleiben – ....

2 sich zum ersten Mal treffen – ....

3 eine Person sehr mögen – ....

4 „Verzeihung" sagen – ....

5 ärgerlich mit einer Person sprechen – ....

4 Wörter hören und nachsprechen. Hören Sie zu und sprechen Sie nach.

1.37

1 der Vorort – die Innenstadt – außerhalb – zentral

2 die Verkehrsmittel – öffentlich – öffentliche Verkehrsmittel

3 die Kaution – die Monatsmiete – die Nebenkosten – der Nachmieter

4 sympathisch – unsympathisch – freundlich – unfreundlich

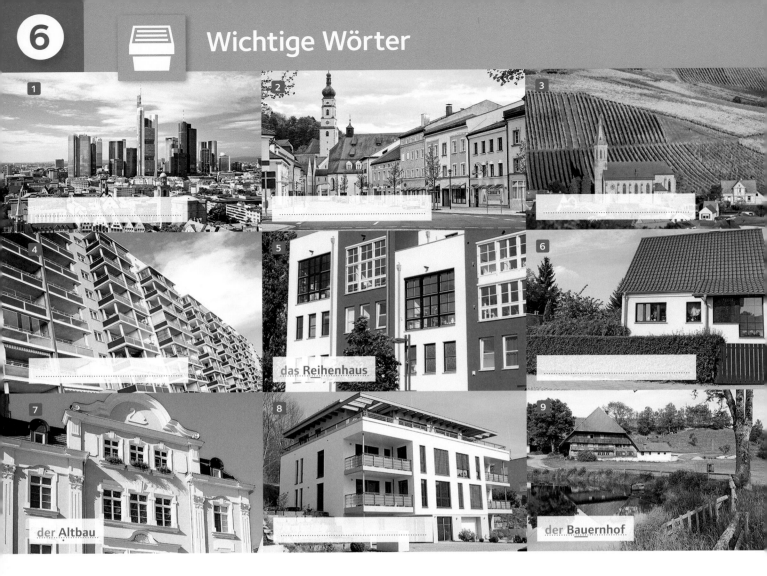

das Reihenhaus

der Altbau

der Bauernhof

5a Ergänzen Sie die Wörter mit Artikel auf Seite 78.

> Hochhaus • Einfamilienhaus • Neubau • Großstadt • Kleinstadt • Dorf

5b Hören Sie die Wörter und sprechen Sie nach.
1.38

6a Sehen Sie die Fotos an. Wie finden Sie die Fotos? Sprechen Sie Sätze wie im Beispiel.

> *Der Altbau ist sehr schön.*

> *Ich mag den Neubau.*

6b Wo haben Sie früher gewohnt? Wo wohnen Sie heute? Schreiben Sie Sätze wie im Beispiel.

> *Ich wohne heute in einer Großstadt, ich wohne dort in einem Hochhaus. Das Hochhaus ist ein Neubau. Ich habe früher ...*

1. Umzugskartons einpacken
2. ....
3. Löcher bohren
4. ....
5. Bücher einräumen
6. ....
7. die Waschmaschine anschließen
8. die alte Wohnung übergeben
9. ....

7 Aktivitäten beim Umzug. Ordnen Sie zu.

> den Herd anschließen • eine Lampe aufhängen •
> die Wohnung streichen • die neue Wohnung anmelden

8a Hören Sie das Interview. Welche Aktivitäten hören Sie? Notieren Sie.
1.39

8b Hören Sie das Interview noch einmal. Was macht Ranjit bei einem Umzug selbst, was
1.39 lässt er machen? Notieren Sie.

> *Was macht Ranjit bei einem Umzug selbst?*
>
> -> *Ranjit packt die Umzugskartons ein.*

> *Was lässt Ranjit machen?*
>
> -> *Ranjit lässt die Möbel ...*

9 Was machen Sie bei einem Umzug selbst, was lassen Sie machen? Schreiben Sie vier
Sätze in Ihr Heft.

> *Ich lasse die Küche einbauen. Ich ...*

1 Was machen die Leute auf den Bildern? Schreiben Sie Sätze.

> Spaß haben • sich verkleiden • ein Feuerwerk machen •
> Weihnachten feiern • zusammen tanzen • ...

....

....

2 Wann ist das? Schreiben Sie das Datum wie im Beispiel und lesen Sie dann laut.

10.11.
Tante Hedwig!

03.03.
Hochzeit von Maya und Luis!

17.09.
Arzttermin bei Dr. Wevers

21.05.
Geburtstagsparty von Jack

31.06.
Essen bei Herrn und Frau Paulus

01.07.
Sommerfest in der Sprachschule

1 *Tante Hedwig kommt am zehnten November.*

2 *Die Hochzeit von Maya und Luis ist am ...*

3 ....

4 ....

5 ....

6 ....

3 Von wann bis wann? *Vom ... bis zum.* Schreiben Sie das Datum in Zahlen.

1 Von wann bis wann geht der Kurs? *Vom 18.3. bis zum ...*
   (achtzehnten Dritten – fünfzehnten Vierten)

2 Wie lange hat das Geschäft geschlossen? ....
   (zweiten Achten – vierzehnten Achten)

3 Von wann bis wann sind dieses Jahr Sommerferien? ....
   (dreißigsten Sechsten – achten Neunten)

A   Einladungen

🔊 1.40 **4a**   Hören Sie die Dialoge und ergänzen Sie.

1 Das Firmenjubiläum ist am .... Es beginnt um ....

2 Der Termin bei Herrn Özbek ist am .... um ....

3 Das Schulfest beginnt am .... um ....

🔊 1.40 **4b**   Hören Sie noch einmal und kreuzen Sie an: Richtig oder falsch?

		R	F
1	Das Jubiläum findet in der Firma statt.	☐	☐
2	Zu dem Termin bei Herrn Özbek gehen drei Mitarbeiterinnen.	☐	☐
3	Die Eltern von Markus kommen auch zu dem Schulfest.	☐	☐

5a   Prüfung geschafft! Ergänzen Sie den Dialog.

> Super. Ich habe meine Prüfung geschafft! •
> Alia und ich treffen uns heute um 20 Uhr im Café Frieda.
> Kommst du mit? • Hallo Anna, hier ist Lili. •
> Bis später. Tschüss! • Danke. Die Prüfung liegt
> hinter mir und jetzt will ich feiern.

● Anna Barczynski.

● ....

● Hallo Lili, wie geht's?

● ....

● Oh toll! Das freut mich für dich! Glückwunsch!

● ....

● Wohin willst du gehen?

● ....

● Ja, ich komme gern. Ich bin dann um acht Uhr im Café. Bis dann!

● ....

5b   Lesen Sie den Dialog in 5a und beantworten Sie die Fragen.

1 Wer trifft sich?   **3** Wann treffen sie sich?

2 Was ist passiert?   **4** Wo treffen sie sich?

6a Welcher Tag ist das? Ordnen Sie zu.

> der zwanzigste Siebte • der dreiundzwanzigste Fünfte • ~~der erste Vierte~~ •
> der achte Dritte • der neunundzwanzigste Zweite • der neunte Elfte •
> der neunzehnte Zehnte • der achtundzwanzigste Achte

1 *der erste Vierte*

2 ....

3 ....

4 ....

5 ....

6 ....

7 ....

8 ....

6b Welcher Tag ist heute? Hören Sie und kreuzen Sie die Tage im Kalender an.

1.41

MAI							JUNI							JULI						
Mo	Di	Mi	Do	Fr	Sa	So	Mo	Di	Mi	Do	Fr	Sa	So	Mo	Di	Mi	Do	Fr	Sa	So
				1	2	3	1	2	3	4	5	6	7		1	2	3	4	5
4	5	6	7	8	9	10	8	9	10	11	12	13	14	6	7	8	9	10	11	12
11	12	13	14	15	16	17	15	16	17	18	19	20	21	13	14	15	16	17	18	19
18	19	20	21	22	23	24	22	23	24	25	26	27	28	20	21	22	23	24	25	26
25	26	27	28	29	30	31	29	30						27	28	29	30	31

7 Lesen Sie den Dialog und ergänzen Sie das Datum mit der richtigen Endung.

● Welcher Tag ist heute?

● Ich glaube, heute ist der .... (21.) Mai.

● Nein, das kann nicht sein. Am .... (21.) Mai beginnt mein Deutschkurs. Das ist nächste Woche.

● Nächste Woche ist der .... (28.) Mai. Ich bin ganz sicher,

denn am .... (28.) Mai hat meine Frau Geburtstag.

● Oh nein, dann muss ich sofort gehen. Mein Deutschkurs beginnt um 18 Uhr!

● Viel Spaß. Wie lange dauert denn dein Kurs?

● Vier Wochen, vom .... (21.) Mai bis zum

.... (17.) Juni. Und am ....

(18.) Juni ist die Prüfung.

8 Wiederholung: Pronomen im Dativ. Ergänzen Sie die Sätze.

> mir • mir • mir • dir • dir • ihm • ihr • ihr • euch • ihnen • Ihnen

1 Frau Wehner wird heute 60 Jahre alt. Ihre Nachbarn schenken .... Blumen.

2 • Mein Neffe wird morgen zehn. Was kann ich .... zum Geburtstag schenken? Und

seine Schwester wird übermorgen zwölf. Was soll ich .... schenken?

• Du kannst beiden zusammen etwas schenken. Kauf .... doch eine DVD.

3 • Gib .... doch bitte deine Adresse. Ich möchte .... eine Karte zum Geburtstag

schreiben.

• Warte einen Moment, ich gebe sie .... gleich.

4 • Können Sie .... das schriftlich geben?

• Ja, gern. Ich schreibe .... eine E-Mail. Geben Sie .... bitte Ihre

E-Mail-Adresse.

5 • Peter und Ulrike, ich wünsche .... viel Spaß auf eurer Hochzeitsreise.

• Danke.

9 Lukas und Lisa haben Geburtstag. Was kann man ihnen schenken? Schreiben Sie Sätze wie im Beispiel.

1 Lisa mag gern Blumen.

Man kann ihr einen Blumenstrauß schenken.

2 Lukas isst gern Schokolade.

....

3 Lisa liebt Schmuck.

....

4 Lukas muss im Büro einen Anzug tragen.

....

5 Lisa und Lukas haben eine neue Wohnung.

....

10 Ordnen Sie die Sätze und schreiben Sie sie in Ihr Heft.

1 Ich – meinem Sohn – viele Bücher – schenke – .

2 eine DVD – Ich – zum Geburtstag – schenke –
meinem Großvater – .

3 ein Parfüm – meiner Schwester – schenke –
Zum Geburtstag – ich – .

4 schenken – In meinem Land – darf – man – keine Messer – .

5 ihr – Was – euren Eltern – schenkt – zu Weihnachten – ?

6 du – Schenkst – deinen Eltern – zu Weihnachten – diesen Fernseher – ?

> *1 Ich schenke meinem Sohn ...*

B Hochzeit

11a Welche Farbe hat die Kleidung? Schreiben Sie Sätze wie im Beispiel.

Das Hemd ist grün.

11b Was tragen die Personen? Schreiben Sie Sätze wie im Beispiel.

Der Mann trägt ein grünes Hemd.

Die Frau trägt ...

12 Das ist *kein*... Ergänzen Sie Sätze wie im Beispiel.

1 blau/schwarz

Das ist keine blaue Krawatte.
Das ist eine ...

2 groß/klein

Das ist keine große Torte.

3 kurz/lang

4 elegant/billig

13 Was für ...? Ergänzen Sie den Artikel im Akkusativ und die Adjektivendung.

1 • Was für *eine* Hose trägst du auf der Party?

• Eine grau___ Hose.

2 • Was für _____ Schuhe trägst du auf der Hochzeit?

• Schwarz___ Lederschuhe.

3 • Was für Ohrringe hast du gekauft?

• Groß___ elegant___ Ohrringe.

4 • Was für _____ Wohnung möchtest du haben?

• Eine groß___ und hell___.

5 • Was für _____ Fernseher hast du gekauft?

• Einen sehr günstig___ Fernseher.

6 • Was für _____ Sofa habt ihr gekauft?

• Ein rot___ Sofa.

14 **Ergänzen Sie die Endungen. Achtung: Manchmal gibt es keine Endung.**

1 ● Ich suche einen warm......... Wintermantel.

● Wie gefällt Ihnen der braun......... Mantel hier? Er ist warm......... und günstig.......

2 ● Entschuldigung, aber dieser Kaffee ist kalt..........

● Oh, das tut mir leid. Sie bekommen gleich einen neu......... Kaffee.

3 ● Guten Tag, Sie wünschen?

● Ich möchte ein hell......... Bier, eine groß...... Suppe und einen frisch......... Salat. Mein

Sohn nimmt eine klein...... Bratwurst und eine kalt...... Cola.

4 ● Was braucht ihr für die Schule, Mariem?

● Wir brauchen zwei groß...... Hefte, drei klein...... und ein groß......... Schreibheft.

Und ein klein......... Hausaufgabenheft auch noch.

● Für die Hausaufgaben musst du kein neu......... Heft kaufen. Nimm das blau...... Heft.

◀)) 1.42 **15** **Textkaraoke. Hören, lesen und sprechen Sie die ◁▷-Rolle in den Minidialogen.**

👂 …

▽ Danke schön, Sie auch.

👂 …

▽ Wirklich? Vielen Dank für das Kompliment.

👂 …

▽ Meinen Sie?

👂 …

▽ Danke, du auch.

👂 …

▽ Ich freue mich auch.

C Feiern interkulturell

16 **Ein Fest. Schreiben Sie die Sätze im Perfekt.**

1 Angelina und Jean machen eine Party.

....

2 Die Gäste kommen pünktlich.

....

3 Sie bringen etwas zu essen und zu trinken mit.

....

4 Das Fest gefällt allen gut.

....

5 Die Leute unterhalten sich viel, aber sie tanzen nicht viel.

....

17 **Wiederholung: Reflexivpronomen. Ergänzen Sie die Sätze.**

1 • Guck mal, mit wem unterhält _sich_ denn Sabine?

   • Das ist André. Er ist neu hier. Ich habe .... auch schon mit ihm unterhalten.
     Er ist sehr nett.

2 Wenn Benoît zu einer Party geht, zieht er .... immer schick an. Er findet, dass die

   Deutschen .... oft nicht schick anziehen.

3 Wenn die Musik auf einer Party gut ist, dann fühle ich .... sofort wohl.

4 • Wo habt ihr .... kennengelernt?

   • Wir haben .... bei Karo auf der Party kennengelernt.

18 **Schreibtraining. Glückwunschkarten. Lesen Sie die zwei Karten und ergänzen Sie die Wörter.**

wünschen • Herzlichen • Glück • Gute • Lebensjahr • zum • alles

1
Liebe Eva, lieber Marco,

zu eurer Hochzeit .... wir euch

.... Liebe und viel ....

Eure Jasmin und Tarek

2
.... Glückwunsch ....

Geburtstag! Alles .... für das neue

.... wünscht Ihnen

Ihr Pavel Vesniak

19a **Schreibtraining. Schreiben Sie die Einladung richtig.**

ichhabemeinenführerscheinbestanden

getränkeundmusikhabeichhier

liebefreunde

dasmöchteichmiteuchfeiern   werkannnocheinensalatoderkuchenmitbringen

kommtamsamstagabachtzuunsindengarten

Liebe Freunde, ...

....

.... | , ... ? |

....

....

19b **Wählen Sie eine Situation aus und schreiben Sie eine Einladung in Ihr Heft.**

1 Sie haben die Deutschprüfung bestanden.

2 Sie haben Geburtstag.

20a Sehen Sie die Fotos im Artikel an. Welcher Titel 1-3 passt zu welchem Foto?
Ordnen Sie zu.

1 Der große Straßenumzug
2 Spezialitäten aus der ganzen Welt
3 Musik machen

20b Lesen Sie den Artikel und kreuzen Sie an: Was passt?

1 Der Karneval der Kulturen ist ein internationales Fest.
R ☐ F ☐
2 Zum Karneval der Kulturen kommen
A ☐ nur Kinder.
B ☐ 4000 Besucher.
C ☐ viele hunderttausend Besucher.

Karneval der Kulturen

Seit 1996 findet jedes Jahr Ende Mai oder Anfang Juni in Berlin ein großes Straßenfest statt: *Der Karneval der Kulturen*. Das Fest ist sehr beliebt und dauert insgesamt vier Tage.

5 Menschen aller Nationalitäten präsentieren ihr Land und ihre Kultur auf dem Fest. Es gibt Stände mit Spezialitäten aus verschiedenen Ländern, Musikveranstaltungen und viele Tanzveranstaltungen. Am letzten Tag gibt es einen großen Umzug mit über 4000 Teilnehmern aus vielen Ländern. Die
10 Menschen feiern und tanzen gemeinsam auf der Straße. Zum Abschluss findet immer eine große Party statt.

Im Jahr 2000 sind zum ersten Mal mehr als eine Million Besucher zu dem großen Volksfest gekommen, 2015 waren es sogar 1,5 Millionen Besucher. Das Fernsehen, die Zeitungen
15 und die Radiosender sind natürlich auch da. Informationen findet man im Internet.

24

21 Wie heißt ein großes Volksfest in Ihrer Region oder ein Volksfest in Ihrer Heimat?
Beantworten Sie die Fragen.

1 Wie heißt das Fest? ....

2 Wann findet das Fest statt? ....

3 Wo ist das Fest? ....

4 Wie viele Menschen kommen zu dem Fest? ....

5 Was macht man auf dem Fest? ....

der Feiertag, -e

Weihnachten

das Feuerwerk, -e

schenken

sich verkleiden

A Einladungen

der Geburtstag, -e

der Hochzeitstag,-e

die Hochzeitsfeier, -n

das Jubiläum, Jubiläen

das Geschenk, -e

der Gutschein,-e

die Kerze, -n

die Kette, -n

das Geschirr, Sg.

die Schachtel Pralinen

das Parfüm, -s

der Schmuck, Sg.

der Blumenstrauß, "-e

die Rose, -n

das Handtuch,"-er

der Koffer, -

die Decke -n

der Ehemann, "-er

die Ehefrau, -en

normalerweise

B Hochzeit

die Braut, "-e

der Bräutigam,-e

das Brautpaar, -e

das Brautkleid,-er

tragen

der Schleier, -

der Ohrring, -e

eng

wunderschön

romantisch

die Hochzeitstorte, -n

Was für ein/eine/einen … ?

Reis werfen

Ringe tauschen

C Feiern interkulturell

pünktlich

der/die Gastgeber/in, -/-nen

sich unterhalten

auf {fallen

dabei sein

höflich

vorgestern

die Stimmung, Sg.

normal

an {ziehen

Herzlichen Glückwunsch!

Alles Gute!

Frohe Ostern!

Prosit Neujahr!

1 Weihnachtsgeschenke. Ergänzen Sie die Sätze wie im Beispiel.

Bald ist Weihnachten und ich habe noch keine Geschenke.
Was soll ich aber schenken?

Unserem Sohn schenke ich einen ..*Teddybären*.., das ist
einfach.

Aber meinem Mann? Ein .... und eine ....

oder lieber eine ....?

Und meinen Eltern? Vielleicht schönes .... oder

eine .... für das Sofa im Wohnzimmer.

Meiner Schwester schenke ich vielleicht zwei ....

Nein, die habe ich ihr schon letztes Jahr geschenkt! Ich

weiß schon! Sie bekommt von mir ein ....

2 Eine Hochzeit feiern. Was passt zusammen? Ordnen Sie zu.

1 zur Hochzeit   **A** tragen
2 ein weißes Brautkleid   **B** machen
3 zum Standesamt   **C** gehen
4 die Ringe   **D** einladen
5 Hochzeitsfotos   **E** tauschen
6 einen Gutschein   **F** werfen
7 Reis   **G** schenken

3 Was passt nicht? Streichen Sie.

1 Die Hochzeit ist   lecker – romantisch – wunderschön.
2 Er trägt einen   teuren – höflichen – eleganten Anzug.
3 Der Ring ist   fröhlich – teuer – eng.

4 Wörter hören und nachsprechen. Hören Sie zu und sprechen Sie nach.

1.43

1 die Hochzeitsfeier – das Firmenjubiläum – die Geburtstagsparty
2 die Praline – das Parfüm – die Krawatte – das Geschirr
3 Frohe Weihnachten! – Frohe Ostern! – Prosit Neujahr!

1 das Kostüm, -e.

2 das Konfetti

3 die Luftschlangen, Pl.

4 der Umzug, "-e

5 das Osterei, -er

6 der Osterhase, -n

7 der Osterzopf, "-e

8 der Osterstrauß, "-e

9 der Sankt Martin

10 die Laterne, -n

11 der Laternenumzug, -e

12 ....

5a Sehen Sie die Fotos an und ordnen Sie die Wörter zu.

> die Kerze, -n • das Feuerwerk, -e • das Geschenk, -e • das Pferd, -e

🔊 1.44 **5b** Hören Sie die Wörter und sprechen Sie nach.

6 Was denken Sie? Welche Feste sind das? Ordnen Sie zu und schreiben Sie Sätze wie im Beispiel.

> Weihnachten • Sankt Martin • Ostern •
> Fastnacht • Fasching • Karneval • Silvester • Nikolaus

Ich glaube, Foto 1 ist Karneval. Die Leute tragen an Karneval Kostüme. Foto vier ist auch ...

Foto 5 und 6 sind ...

1 der Nikolaus, "-e
2 der Stiefel, -
3 die Süßigkeiten, Pl.
4 ....
5 der Weihnachtsbaum, "-e
6 die Weihnachtsgans, "-e
7 der Adventskalender, -
8 ....
9 die Rakete, -n
10 das Bleigießen, Sg.
11 ....
12 der Böller, -

7 Welche Wörter passen? Ergänzen Sie die Sätze.

1 Beim Karneval tragen viele Leute .... und in vielen Städten gibt es einen

.... auf der Straße.

2 An Ostern suchen die Kinder .... Der .... ist ein Symbol
für Ostern.

3 Der Sankt Martin reitet auf einem .... Bei einem Sankt Martinsumzug

haben die Kinder .... Sie machen am Abend einen ....

4 Der 6. Dezember ist Nikolaus. Am 5. Dezember stellen die Kinder abends ihre

.... vor die Tür, weil sie vom .... Süßigkeiten bekommen
wollen.

5 Viele Leute essen zu Weihnachten eine .... Nicht nur Kinder

bekommen ....

6 Am Silvesterabend machen viele Leute vor zwölf Uhr .... Nach zwölf

Uhr gibt es dann ein .... mit .... und ....

Station

2

1 Lesen Sie und ergänzen Sie in A–F.

✔ ✘ **Ich kann auf Deutsch**

☐ ☐ **A** nach Informationen fragen.

> *Wissen Sie, ...*
> *.. ?*

> *Können Sie mir sagen, ...*
> *.. ?*

☐ ☐ **B** eine Mitteilung schreiben.

| Grüße • Termin • Geht • Büro • Hallo |

> *....................... Marie,*
> *leider muss ich unseren .... heute um 14.00 Uhr verschieben, denn ich*
> *muss Herrn Weimass vom Bahnhof abholen. .... es morgen um 14.00*
> *Uhr? Ich komme dann in dein ....*
>
> *...*
> *Anna*

☐ ☐ **C** Gespräche am Arbeitsplatz führen.

- Werkstatt Meyer und Söhne, hier spricht Selma Horn.

- ....
  (Name – heute nicht kommen – krank sein)
- Okay. Danke, dass Sie anrufen. Gehen Sie zum Arzt?

- ....
  (ja, um 10 Uhr – Krankmeldung schicken)
- Dann wünsche ich Ihnen gute Besserung!

- ....
  (vielen Dank – auf Wiederhören)

D   **ein Gespräch mit dem Vermieter führen.**   ☐ ☐

> Monatsmieten • Anzeige • Kaution • besichtigen • Wohnung • vermietet • frei

- Guten Tag, meine Name ist Eils. Ich habe Ihre _____ gelesen. Ist die _____

  noch _____?
- Ja, ich habe sie noch nicht _____.
- Sie haben in der Anzeige geschrieben: _____ 2 MM. Was heißt das?
- Sie müssen zwei _____ Kaution zahlen, wenn Sie einziehen, also
  1500 Euro.
- Ah ja. Könnte ich die Wohnung _____?
- Ja, natürlich. Sie können am Freitagabend um 18.00 Uhr kommen.

E   **neue Nachbarn begrüßen oder mich bei den Nachbarn vorstellen.**   ☐ ☐

> sich fühlen • sich vorstellen • sich freuen

- Guten Tag, wir möchten _____. Wir sind die neuen Nachbarn.
  Böger ist mein Name. Das sind meine Kinder Florian und Ulrike.

- Das _____. Ich heiße Dayanna Ovalle. Hoffentlich _____ Sie

  _____ hier wohl.

F   **eine Glückwunschkarte schreiben.**   ☐ ☐

> zum Geburtstag wünschen • alles Gute • viel Glück

Herzlichen Glückwunsch

....
....
....
....
....
....

2   **Kontrollieren Sie mit den Lösungen und markieren Sie ✓ für *kann ich* und ✗ für *kann ich nicht so gut*.**

Teil 2 **Lesen Sie die Situationen 1–5 und die Anzeigen a bis h. Finden Sie für jede Situation die passende Anzeige. Markieren Sie Ihre Lösungen für die Aufgaben 1–5 auf dem Antwortbogen (s. Lösungsheft, Seite 17). Für eine Situation gibt es keine Lösung. Markieren Sie in diesem Fall ein X.**

1 Ihre Tochter möchte in München studieren und braucht ein Zimmer.

2 Sie ziehen aus Ihrer alten Wohnung aus und müssen sie renovieren lassen und suchen einen Handwerker.

3 Sie suchen Möbel für Ihr Wohnzimmer.

4 Ein Kollege von Ihnen möchte ein Haus kaufen.

5 Sie suchen eine neue Wohnung mit drei oder vier Zimmern.

a

3-Zi-Whg., 67 m², EBK, Balkon, 3. OG, Auf-
zug, zentrale Lage, KM 630.- €, NK 140.- €
in Bremen-Horn. Tel. 0421 87 61 293

b

Küchenland

**Wir planen mit Ihnen Ihre
Einbauküche.**

Große Auswahl an Küchenmöbeln
und Elektrogeräten!
Auwaldstraße 76 – 79110 Freiburg
www.küchenland-freiburg.de
Öffnungszeiten: Mo-Sa,
10.00-20.00 Uhr

**Viele
Sonderangebote**

c

Handwerker-Service

für Umbau- und Renovierungsarbeiten:
Malerarbeiten, Elektroarbeiten und
vieles mehr.

Telefon: 030 291 750
E-Mail: Handwerker-Service@email.de

Ihr einfacher Weg zu einem tollen Zuhause.

d

Wir, 33 und 39, suchen ab April eine
3-4 Zi.-Whg. in Bremen. KM bis 750.- €.
Tel. 0176 54 624300 (ab 18.00 Uhr).

e **Immobilienangebote**

Einfamilienhäuser in der Gartenstadt
Vahr – Baujahr 2015:

5 Zimmer - 139 m² Wohnfläche -
Grundstück ca. 155 m²
Preis: 229.000 € plus Maklerprovision 3,57 %

6 Zimmer - 153 m² Wohnfläche -
Grundstück ca. 275 m²
Preis: 269.000 € plus Maklerprovision 3,57 %

Maklerbüro Gutmann - Tel. 0421 37 51 002 -
www.maklerbüro_gutmann.de

f

Umzüge, Möbeltransporte ab 44.- €
pro Stunde inkl. LKW und 3 Mann.
Tel. 0176 490 761

g

VERMIETUNGEN – HÄUSER

Neuenburg, Stadtmitte. EFH,
150 m² Wohnfläche, EBK, Garage
KM 1445.- € plus Nebenkosten
Sutters Immobilien. Tel. 07631 714 102

h

Nachmieter gesucht

für Studentenzimmer in München-
Sendling. Erdgeschoss, 15 m², 290.- €
WM mit Küchen- und Badbenutzung.
Frei ab 1.9. Tel. 0175 23 66 19 555

Teil 3 **Lesen Sie die zwei Texte. Zu jedem Text gibt es zwei Aufgaben. Entscheiden Sie bei jedem Text, ob die Aussage richtig oder falsch ist und welche Antwort (a, b oder c) am besten passt. Markieren Sie Ihre Lösungen für die Aufgaben 6–9 auf dem Antwortbogen.**

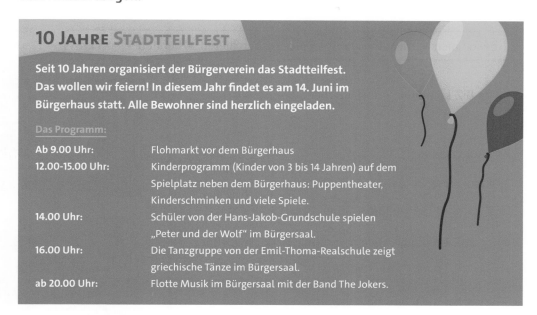

10 JAHRE STADTTEILFEST

Seit 10 Jahren organisiert der Bürgerverein das Stadtteilfest. Das wollen wir feiern! In diesem Jahr findet es am 14. Juni im Bürgerhaus statt. Alle Bewohner sind herzlich eingeladen.

Das Programm:

Ab 9.00 Uhr:	Flohmarkt vor dem Bürgerhaus
12.00-15.00 Uhr:	Kinderprogramm (Kinder von 3 bis 14 Jahren) auf dem Spielplatz neben dem Bürgerhaus: Puppentheater, Kinderschminken und viele Spiele.
14.00 Uhr:	Schüler von der Hans-Jakob-Grundschule spielen „Peter und der Wolf" im Bürgersaal.
16.00 Uhr:	Die Tanzgruppe von der Emil-Thoma-Realschule zeigt griechische Tänze im Bürgersaal.
ab 20.00 Uhr:	Flotte Musik im Bürgersaal mit der Band The Jokers.

6   Das Stadtteilfest hat auch schon früher stattgefunden.

7   Das Kinderprogramm
   a   ist nur für Kinder aus der Grundschule.
   b   endet um 12.00 Uhr.
   c   ist auf einem Spielplatz.

Sehr geehrte Eltern der Klasse 4c,

am Montag, dem 19. Oktober, wollen wir den Film *Die unendliche Geschichte* im Kino-Center Astor sehen.
Die Kinder kommen wie jeden Tag um 7.50 Uhr in die Schule. Nach der zweiten Stunde fahren wir dann mit dem Bus von der Schule zum Kino. Der Film ist etwa um 12.00 Uhr zu Ende. Wir fahren dann mit dem Bus zur Schule zurück.
Sie können Ihre Kinder aber auch direkt am Kino abholen.
Bitte geben Sie Ihren Kindern bis Freitag, dem 16. Oktober, 2 Euro für die Busfahrkarte und 5 Euro für die Kinokarte mit.

Mit freundlichen Grüßen
Monika Warmbrunn
Klassenlehrerin

---

8   Am 19. Oktober haben die Kinder keinen Unterricht.

9   Die Eltern sollen
   a   den Kindern Busfahrkarten mitgeben.
   b   den Kindern Geld mitgeben.
   c   die Kinder am Kino abholen.

1 Das Berufsinformationszentrum (BiZ). Ergänzen Sie.

> bekommen • fragen • am Computer recherchieren • beraten • suchen

1 Im BiZ kann man Informationen über Berufe

....

2 Man kann sich .... lassen.

3 Man kann ....,

welche freien Stellen es gibt.

4 Im BiZ kann man Stellen und Ausbildungsangebote

....

5 Man kann nach Fortbildungsmöglichkeiten

....

A   Ich interessiere mich für …

2 Im Büro. Ergänzen Sie das Reflexivpronomen.

1 • Können wir .... morgen treffen? Wir müssen noch den Termin mit der
Firma Müller vorbereiten.

• Morgen kann ich leider nicht. Ich treffe .... mit den Kollegen aus Bamberg.

2 • Ich habe gehört, dass du .... für die *MS Office* Fortbildung interessierst.

• Nein, ich kenne das Programm schon. Aber mein Mann interessiert .... für
die Fortbildung.

3 • Du freust .... bestimmt sehr, dass du eine neue Arbeit gefunden hast, oder?

• Ja, ich fühle .... jetzt sehr gut. Viele Leute haben .... um die
Stelle beworben, aber ich habe sie bekommen!

3a Hören Sie und kreuzen Sie an: Was ist richtig?

2.02

Wo findet das Gespräch statt?
1 ☐ Das Gespräch findet in einer Firma statt.
2 ☐ Das Gespräch findet bei der Bundesagentur für Arbeit statt.

3b **Hören Sie noch einmal. Was passt? Ordnen Sie zu.**

1 Sie bewirbt sich um ———————— A ihre Berufschancen.
2 Sie informiert sich über ———————— B die Stelle bei Siemens.
3 Sie nimmt jetzt an   C die Antwort von der Firma.
4 Sie interessiert sich für   D eine Teilzeitstelle.
5 Sie wartet noch auf   E einem Computerkurs teil.

4 **Verben mit Präpositionen. Ergänzen Sie die Präpositionen.**

1 ● Unser Kurs endet bald. Hast du dich schon .... eine Stelle beworben?

  ● Nein, ich muss mich zuerst noch .... Kindergartenplätze für die Kinder informieren.

  ● Ja, das ist ein Problem. Deshalb interessiere ich mich auch nur .... eine Teilzeitarbeit.

2 In meinem Job muss ich oft .... Kunden telefonieren.

3 Nächste Woche gehe ich nicht in die Firma, ich nehme .... einem Kurs über neue Computerprogramme teil.

4 Es ist gut, dass ich mit meinen Kollegen .... Probleme sprechen kann.

5 Am Wochenende will ich nicht .... die Arbeit denken. Ich träume lieber

.... meinem nächsten Urlaub.

5 **Was machen die Personen? Schreiben Sie Sätze wie im Beispiel.**

> ~~sich freuen~~ • warten •
> sich ärgern • träumen

> vom Urlaub • über das Geschenk • auf
> seine Freundin • über das Fußballspiel

Das Kind freut sich über ... .

6 *Sich freuen über* und *sich freuen auf*. Welche Präposition passt? Ergänzen Sie die Dialoge.

1 Danke, ich habe mich .... die Einladung gefreut. Und ich freue mich schon sehr

.... das Fest.

2 • Nächste Woche ziehen wir um. Freust du dich auch .... die neue Wohnung?

• Ja, aber ich freue mich nicht .... den Umzug. Das ist immer viel Arbeit.

3 • Morgen gibt es Zeugnisse. Freust du dich .... dein Zeugnis?

• Ja, im letzten Jahr habe ich mich auch .... mein Zeugnis gefreut.

B Etwas Neues lernen

7 **Wiederholung: Nebensätze mit *weil*. Ergänzen Sie die Sätze wie im Beispiel.**

> ~~Es bietet viele Kurse an.~~ • Ich möchte mehr über Computerprogramme lernen. •
> Ich möchte ein eigenes Geschäft eröffnen. • Er hat mich gut beraten. •
> Ich schreibe jeden Tag viele E-Mails. • Ich möchte meine Wohnung renovieren.

1 Ich finde das Kursprogramm interessant, *weil es viele Kurse anbietet* ....

2 Ich finde den Kurs *Existenz gründen* interessant, weil ....

3 Ich finde den Kurs *MS Office für Anfänger* interessant, weil ....

4 Ich finde den Kurs *Schreiben lernen* interessant, weil ....

5 Das Gespräch mit dem Arbeitsberater war gut, weil ....

6 Ich finde den Grundkurs *Heimwerken* gut, weil ....

8a **Lesen Sie die Texte und notieren Sie. Welchen Beruf haben die Personen heute?**

1 Herr Mazur arbeitet als ...

Herr Mazur

Ich habe in Polen als Ingenieur gearbeitet. Aber in Deutschland habe ich keine Stelle bekommen, weil ich zu wenig Deutsch kann und zu wenige Computerkenntnisse habe. Ich fahre jetzt Taxi und verdiene genug Geld, aber ich möchte gern einen Computerkurs machen. Dann kann ich wieder in meinem alten Beruf arbeiten.

Frau Shobana

Ich kann jetzt keine Stelle suchen. Meine Kinder sind noch klein, sie sind noch im Kindergarten und ich bin Hausfrau. Aber ich möchte gern einen Kurs machen. Dann lerne ich Leute kennen und übe Deutsch. Vielleicht mache ich einen Tanzkurs, das macht mir Spaß und tut mir gut. Und wenn ich besser Deutsch kann, dann kann ich auch den Kindern besser in der Schule helfen.

Herr Dovic

Wir sind in eine neue Wohnung umgezogen. In der Wohnung muss ich noch viel renovieren und Handwerker sind sehr teuer. Deshalb möchte ich einen Heimwerkerkurs machen, dann kann ich vieles selbst machen. Ich bin Kellner, ich arbeite immer am Wochenende, aber am Montag und Dienstag habe ich frei. Dann kann ich zu Hause in der Wohnung arbeiten.

Frau Miller

Ich arbeite als Aushilfe in einem Autohaus. Ich mache nur einfache Arbeiten, ich bringe den Mitarbeitern im Haus ihre Post oder den Kunden Kaffee. Wenn ich besser Deutsch kann, dann kann ich auch eine bessere Stelle in der Firma bekommen. Ich möchte gern Sekretärin werden. Deshalb möchte ich jetzt einen Abendkurs machen.

8b **Lesen Sie die Texte aus 8a noch einmal. Was passt zusammen? Ordnen Sie zu.**

1 Herr Mazur fährt Taxi,

2 Herr Mazur möchte eine Fortbildung machen,

3 Frau Shobana möchte einen Kurs machen,

4 Herr Dovic möchte einen Heimwerkerkurs machen,

5 Herr Dovic möchte selbst renovieren,

6 Frau Miller möchte einen Kurs machen,

A damit er seine Wohnung selbst renovieren kann.

B damit er Geld verdient.

C damit sie Leute kennenlernt.

D damit er nicht so viel Geld ausgeben muss.

E damit sie in der Firma eine bessere Stelle bekommt.

F damit er wieder als Ingenieur arbeiten kann.

9 **Familie Su. Ergänzen Sie die Sätze.**

1 damit – sie – kann – kochen – für ihren Besuch

Frau Su arbeitet am Montag nicht, ...

2 damit – er – mitbringt – noch Salz

Sie ruft ihren Mann an, ...

3 er – bringen – zum Nähkurs – kann – damit – seine Tochter

Herr Su arbeitet am Dienstag nur bis 15 Uhr, ...

4 sie – kennenlernt – die Lehrer – damit

Frau Su geht zum Elternabend, ...

5 nicht allein – die Kinder – damit – sind

Herr Su bleibt zu Hause, ...

6 Freunde – damit – besuchen – sie – kann

Familie Su fährt nach Bonn, ...

10 Wozu machen die Personen das? Schreiben Sie Sätze mit *damit* in Ihr Heft.

1 Sie macht einen Sportkurs. Sie bleibt fit.
2 Er sieht deutsches Fernsehen. Er lernt schneller Deutsch.
3 Ich kaufe meinem Sohn einen Computer. Er kann programmieren lernen.
4 Sie machen eine Fortbildung. Sie haben bessere Berufschancen.
5 Er macht den Führerschein. Er kann mit dem Auto zur Arbeit fahren.
6 Wir schreiben alle Wörter ins Heft. Wir vergessen sie nicht.

Sie macht einen Sport-kurs, damit ...

11a *Weil* oder *damit*? Ergänzen Sie die Sätze.

1 Er arbeitet, ... er Geld verdient.

Er arbeitet, ... er Geld braucht.

2 Sie kocht, ... sie Gäste zum Abendessen eingeladen hat.

Sie kocht, ... die Gäste ein schönes Abendessen bekommen.

3 Die VHS bietet Deutschkurse an, ... viele Leute Deutsch lernen wollen.

Die VHS bietet Deutschkurse an, ... viele Leute Deutsch lernen können.

11b *Warum* oder *Wozu*? Schreiben Sie Fragen und Antworten zu den Sätzen aus 11a wie im Beispiel in Ihr Heft.

1 Wozu arbeitet er? – Damit er Geld verdient.
Warum arbeitet er? – Weil er Geld braucht.

12 Ergänzen Sie die Sätze.

1 sein - sie - pünktlich bei der Arbeit / am Wochenende - sie - viel einkaufen.

Frau Marx braucht ein Auto, damit *sie pünktlich bei der Arbeit ist.* ....

Frau Marx braucht ein Auto, weil *sie ...* ....

2 geben – es – keine Unfälle / am Wochenende – viele Leute – fahren – mit dem Auto

Die Polizisten kontrollieren den Verkehr, damit ....

Die Polizisten kontrollieren den Verkehr, weil ....

3 kommen – in die Stadt – schnell – er / haben – keinen Führerschein – er

Er hat eine Monatskarte für den Zug, damit ....

Er hat eine Monatskarte für den Zug, weil ....

4 können – studieren – Medizin – sie / wollen – Medizin – studieren – sie

Paulina will das Abitur machen, damit ....

Paulina will das Abitur machen, weil ....

C Sich für einen Kurs anmelden

13 **Kreuzen Sie an. Was bedeuten die markierten Wörter?**

1 Frau Moreno will heute bei der VHS vorbeikommen.
☐ zur VHS gehen   ☐ nicht zur VHS gehen

2 Sie möchte sich für den Kochkurs anmelden.
☐ sich informieren   ☐ sagen, dass sie an dem Kochkurs teilnehmen will

3 Der Kochkurs findet immer am Freitagabend statt.
☐ fängt … an   ☐ ist

4 Der Kochkurs fängt um 18 Uhr an.
☐ beginnt   ☐ endet

5 Sie nimmt am Kochkurs teil.
☐ den Kurs machen   ☐ über den Kurs sprechen

14 **Textkaraoke. Hören, lesen und sprechen Sie die 👄-Rolle im Dialog.**
2.03

👂   …

👄   Guten Tag, mein Name ist… Ich interessiere mich für den Computerkurs am Donnerstag.

👂   …

👄   Ist am Dienstag nicht der Kurs für Anfänger? Ich möchte einen Kurs für Fortgeschrittene machen.

👂   …

👄   Dann möchte ich mich gern für diesen Kurs anmelden. Kann ich das telefonisch machen?

👂   …

👄   Gut, dann komme ich gleich vorbei. Danke schön.

👂   …

15 **Schreiben Sie einen Dialog in Ihr Heft. Die Dialoggrafik hilft.**

• Kurs *Deutsch für den Beruf*.

        • Montag oder Donnerstag?

• Montag anmelden / wo?

        • im Internet oder im Büro

• Adresse vom Büro?

        • Yorkstraße 135

• Entschuldigung / buchstabieren

        • gern…

• Danke / Auf Wiederhören

*• Guten Tag,
mein Name ist …*

8

🔊 2.04 **16a** Wann beginnen die Kurse? Hören Sie und notieren Sie den Kurs und die Uhrzeit.

MAI	
3 Montag	**10** Montag
4 Dienstag	**11** Dienstag
5 Mittwoch	**12** Mittwoch
6 Donnerstag	**13** Donnerstag
7 Freitag	**14** Freitag

🔊 2.05 **16b** Hören Sie den Dialog und kreuzen Sie an: Was passt?

1 Herr Bielski macht jetzt einen Sprachkurs. R ☐ F ☐

2 Was muss Herr Bielski machen?
- **A** ☐ In der Sprachschule vorbeikommen.
- **B** ☐ Sich online anmelden.
- **C** ☐ Am Donnerstag zum Kurs kommen.

17a Schreibtraining. Umlaute. Korrigieren Sie die Sätze und ergänzen Sie die Punkte für die Umlaute (ä, ö, ü).

Fehler +++ Fehler +++ Fehler

1 Er mochte ein Geschaft eroffnen und macht einen Existenzgrunderkurs.
2 Ich mache jetzt einen Nahkurs fur Anfanger.
3 Im BiZ kann man Broschuren lesen und sich uber Fordermoglichkeiten informieren.
4 Das Buro hat am Vormittag immer von 9.00 bis 11.00 Uhr geoffnet.
5 Er arbeitet als Taxifahrer. Er hat einen Fuhrerschein und einen Personenbeforderungsschein.

17b Groß- und Kleinschreibung. Schreiben Sie die E-Mail richtig in Ihr Heft.

Fehler +++ Fehler +++ Fehler

sehrgeehrtedamenundherren,
ichinteressieremichfürihrenexistenzgründerkurs. ichmöchtemeineigenesgeschäfteröffnen.
könnensiemirmitteilen, wanndieterminesindundwievielderkurskostet?
vielendankfürihreantwort.
mitfreundlichengrüßen

Sehr geehrte Damen ...

102 einhundertzwei

18 Sehen Sie die Fotos an. Wie heißen die Hobbys? Schreiben Sie.

....

....

19a Menschen und ihre Hobbys. Lesen Sie den Text und ergänzen Sie die Tabelle.

MEIN HOBBY

Ulf Stein: Mein Hobby sind Apfelbäume. Ich brauche für mein Hobby einen Garten und Werkzeug, ein wichtiges Werkzeug ist z. B. die Baumschere. Aber das Wichtigste ist die Pflege der Bäume. Man muss die Apfelsorten gut kennen und richtig pflegen. Dann kann man im Herbst viele gute Äpfel ernten.

Mario Fiore: Mein Hobby ist das Trommeln. Ich baue selber Drums. Man braucht dafür kein besonderes Material, man kann z. B. eine Mülltonne, einen Karton oder eine Dose nehmen. Wichtig ist, dass der Klang gut und interessant ist. Aber ich baue nicht nur die Drums, ich trommle auch gern. Wenn man richtig gut sein will, muss man natürlich auch sehr viel üben und verschiedene Sachen ausprobieren.

Maja Anan: Mein Hobby ist das Kartenspielen. Am Wochenende machen meine Freunde und ich oft einen gemütlichen Spieleabend. Wir brauchen nicht viel: mindestens drei Personen, Karten und etwas zu trinken. Am wichtigsten ist, dass man Spaß hat. Wenn einer nicht verlieren kann, sollte er lieber nicht mitspielen.

	Was ist sein/ihr Hobby?	Was braucht er/sie?	Was ist besonders wichtig?
Ulf Stein			
Mario Fiore			
Maja Anan			

19b Was ist Ihr Hobby? Was brauchen Sie für Ihr Hobby? Arbeiten Sie mit dem Wörterbuch und machen Sie Notizen.

19c Schreiben Sie dann einen Text über Ihr Hobby wie in 19a.

sich informieren (über) ....

Erfahrungen machen ....

A Ich interessiere mich für …

der/die Arbeitsberater/in, -/-nen ....

die Fortbildung, -en ....

die Förderung, -en ....

die Möglichkeit, -en ....

der Berufsabschluss, "-e ....

an}erkennen ....

die Computerkenntnisse, Pl. ....

finanzieren ....

aktuell ....

teil}nehmen (an) ....

sich bewerben (um) ....

sich interessieren (für) ....

sich ärgern (über) ....

denken (an) ....

sich freuen (auf/über) ....

warten (auf) ....

träumen (von) ....

sprechen (über) ....

telefonieren (mit) ....

damit ....

B Etwas Neues lernen

die Weiterbildung, -en ....

der/die Anfänger/in,-/-nen ....

der/die Fortgeschrittene, -n/-n ....

die Dauer, Sg. ....

die Gebühr, -en ....

die Materialkosten, Pl. ....

beruflich ....

handwerklich ....

bohren ....

nähen ....

die Grundkenntnisse, Pl. ....

der Schwerpunkt, -e ....

die Besprechung, -en ....

die Selbstständigkeit, Sg. ....

der Existenzgründerkurs,-e ....

unsicher ....

der Arbeitsmarkt, Sg. ....

C Sich für einen Kurs anmelden

sich anmelden (für) ....

das Kursangebot, -e ....

jederzeit ....

die Doppelstunde, -en ....

die Voraussetzung, -en ....

die Online-Anmeldung, -en ....

Gern geschehen! ....

vorbei}kommen ....

an}bieten ....

die Privatschule, -n ....

das Schwarze Brett ....

die Kenntnisse, Pl. ....

die Fähigkeit, -en ....

das Plakat, -e ....

....

1a Suchen Sie die Wörter in der Wortliste, ergänzen Sie die Präpositionen und schreiben Sie Lernkarten.

> telefonieren • träumen • warten • sich freuen •
> sprechen • denken • sich interessieren •
> sich bewerben • teilnehmen • sich informieren •
> sich ärgern

telefonieren mit

1b Schreiben Sie Sätze mit den Wörtern aus 1a.

sich ärgern über

Ich ärgere mich über das schlechte Essen in der Kantine.

teilnehmen an

Sie nimmt an einem Kurs teil.

2 Was bedeuten die Wörter? Ergänzen Sie die Wörter.

> Existenzgründerkurs • Fortgeschrittene • Anfänger • Online-Anmeldung •
> Kursangebot • Arbeitsmarkt • Voraussetzung • Förderung • Fortbildung

1 Bei einer _____ kann man etwas für den Beruf lernen.

2 Wenn man etwas neu lernt, ist man _____.

3 Manchmal kann man für eine Fortbildung eine finanzielle _____ bekommen.

4 Für den Kurs ist auch eine _____ möglich. Man muss nicht vorbeikommen.

5 _____ für den Führerschein ist ein Erste-Hilfe-Kurs.

6 Wenn man einen Computerkurs für _____ machen will, braucht man Grundkenntnisse.

7 Volkshochschulen haben ein großes _____.

8 Mit einer Fortbildung sind die Chancen auf dem _____ oft besser.

9 Wenn man ein Geschäft eröffnen will, kann man einen _____ machen.

■◄)) **3** Wörter hören und nachsprechen. Hören Sie zu und sprechen Sie nach.
2.06

1 die Chance – die Weiterbildung – die Computerkenntnisse
2 die Arbeitsberaterin – die Fortbildung – die Förderung
3 sich interessieren für – sich bewerben um – sich freuen auf – sich ärgern über
4 vorbeikommen – sich anmelden – teilnehmen – anbieten

der Malkurs

der Gymnastikkurs

der Sprachkurs

die Stadtführung

der Mountainbike-Kurs

4 Ergänzen Sie die Wörter mit Artikel.

🔊 **5** Hören Sie die Wörter und sprechen Sie sie nach.
2.07

🔊 **6a** Hören Sie die Dialoge. Welche Kurse machen die Personen? Warum? Machen Sie
2.08 Notizen.

	Mario:	Carla:	Jack:	Michaela:
Kurse?				
Warum?				

der Schauspielkurs ....

11 ....

12 ....

die Fahrschule ....

der Fotografie-Kurs ....

der Yoga-Kurs ....

16 ....

der Schwimmkurs ....

der Kosmetikkurs ....

◀))) **6b** **Hören Sie noch einmal. Wozu machen die Personen die Kurse? Vergleichen Sie im Kurs.**
2.08

> sich entspannen • gut fühlen • zusammen mit dem Sohn Gitarre spielen können •
> neue Ideen bekommen • nachdenken

Mario macht den Kurs, damit...

Carla will sich in dem Kurs entspannen.

7 **Welche Kurse wollen Sie machen? Wozu? Schreiben Sie in Ihr Heft.**

9 Gesund leben

1 Zu welchem Thema passen die Wörter? Ordnen Sie zu. Einige Wörter passen zu zwei Themen.

> sich entspannen • zu Mittag essen • sich bewegen • im Garten arbeiten •
> zunehmen • Stress haben • gemütlich zusammensitzen • sich gesund ernähren •
> Kollegen im Café treffen • abnehmen • fit sein • die Muskeln trainieren •
> Sorgen haben • im Stau stehen • Gymnastik machen • frühstücken •
> joggen gehen • in der Kantine essen • Fußball spielen • sich mit Freunden unterhalten

Sport

Beruf

Freizeit

Ernährung

2a Lesen Sie die Sätze und ordnen Sie sie den Fotos zu.

 A  B  C 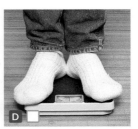 D

1 Ich <u>entspanne</u> <u>mich</u> sehr gut, wenn ich im Garten arbeite.
2 Ich kaufe viel frisches Obst und Gemüse, damit <u>sich</u> unsere Kinder gesund <u>ernähren</u>.
3 Ich <u>bewege</u> <u>mich</u> zu wenig. Ich muss wieder mehr Sport machen.
4 Ich habe einen Monat Diät gemacht und ich <u>habe</u> vier Kilo <u>abgenommen</u>.

2b Was passt? Ordnen Sie die Sätze zu.

1 Für mich ist wichtig,
2 Wenn ich mich bewegen möchte,
3 Ich möchte gerne mehr Sport machen,
4 Ich esse viel Salat,
5 Zur Entspannung

A weil ich mich gesund ernähren möchte.
B dass ich mich gesund ernähre.
C mache ich gern Yoga und trinke Tee.
D aber ich habe einfach keine Zeit.
E dann gehe ich joggen.

2c Schreiben Sie Sätze mit den markierten Verben aus 2a in Ihr Heft.

1 Ich entspanne mich gut, wenn ich ...

A In der Arztpraxis

3 Zu welchem Arzt gehen Sie wann? Ordnen Sie zu und schreiben Sie Sätze mit *wenn*.

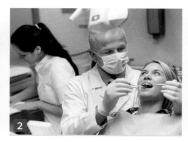  

> ③ eine Impfung brauchen • ☐ eine neue Brille brauchen • ☐ Blut abnehmen lassen •
> ☐ Zahnschmerzen haben • ☐ eine Verletzung am Auge haben •
> ☐ meine Zähne kontrollieren lassen • ☐ meine Augen kontrollieren lassen

> *Wenn ich eine Impfung brauche, dann gehe ich zum ...*

4 Beim Arzt. Hören Sie die zwei Gespräche und kreuzen Sie an: Was ist richtig?

2.09

1 Die Arzthelferin soll …

A ☐ ein Rezept für ein Medikament geben.
B ☐ einen neuen Termin geben.
C ☐ den Blutdruck messen.
D ☐ Blut abnehmen.
E ☐ gegen Tetanus impfen.

2 Die Arzthelferin hat schon …

A ☐ Blut abgenommen.
B ☐ den Blutdruck gemessen.
C ☐ die Brille kontrolliert.
D ☐ die Augen kontrolliert.
E ☐ ein Rezept gegeben.

5 Ein Arztbesuch. Ergänzen Sie die Wörter.

> wei Ü sung ber • schrei Krank bung • ken se Kran kas •
> sund kar te heits Ge • heft nus Bo

1 Wenn man zum Arzt geht, braucht man die ....

2 Wenn man krank ist, bekommt man vom Arzt eine .... für den Arbeitgeber.

3 Die Gesundheitskarte bekommt man von der ....

4 Die Zahnkontrollen trägt der Zahnarzt in das .... ein. Wenn man regelmäßig
die Zähne kontrollieren lässt, bekommt man von der Krankenkasse einen Bonus.

5 Wenn der Hausarzt einen Patienten zu einem Facharzt schickt, schreibt er eine
....

2.10 **6** **Beim Gesundheits-Check. Ergänzen Sie den Dialog. Kontrollieren Sie dann mit der CD.**

> Ich habe die Impfung doch schon beim letzten Mal bekommen. • Es geht, ich fahre manchmal Fahrrad, aber ich habe nicht so viel Zeit. • Ach ja. Dann lasse ich mir einen Termin geben. Vielen Dank. • Nein, ich habe keine Probleme, ich möchte nur einmal alles kontrollieren lassen. • Ja, hier bitte. • Guten Tag. Danke.

● Guten Tag, bitte nehmen Sie Platz.

● ....

● Sie kommen für den Gesundheits-Check. Haben Sie gesundheitliche Beschwerden?

● ....

● Gut, das ist vernünftig. Bewegen Sie sich regelmäßig?

● ....

● Die Ergebnisse von der Laboruntersuchung sind in Ordnung: Die Blutwerte und Cholesterinwerte sind normal. Haben Sie Ihren Impfpass dabei?

● ....

● Gut, die Impfungen sind fast komplett. Wir müssen nur noch einmal gegen Tetanus impfen. Bitte lassen Sie sich einen Termin geben.

● ....

● Nein, das war die Impfung gegen Tuberkulose, jetzt müssen wir Sie noch gegen Tetanus impfen.

● ....

7a **Komposita. Ergänzen Sie die Artikel.**

1 der Arzt + die Helferin → .... Arzthelferin

2 das Blut + der Druck → .... Blutdruck

3 die Gesundheit + der Check → .... Gesundheits-Check

4 das Labor + die Untersuchung → .... Laboruntersuchung

5 die Vorsorge + die Untersuchung → .... Vorsorgeuntersuchung

6 das Blut + die Werte (Pl.) → .... Blutwerte (Pl.)

7 das Cholesterin + die Werte (Pl.) → .... Cholesterinwerte (Pl.)

8 die Gesundheit + die Untersuchung → .... Gesundheitsuntersuchung

2.11 **7b** **Hören und markieren Sie den Wortakzent bei den Komposita in 7a. Hören Sie dann noch einmal und sprechen Sie nach.**

8 Mit Kindern beim Arzt. Lesen Sie die Texte und kreuzen Sie an: Richtig oder falsch?

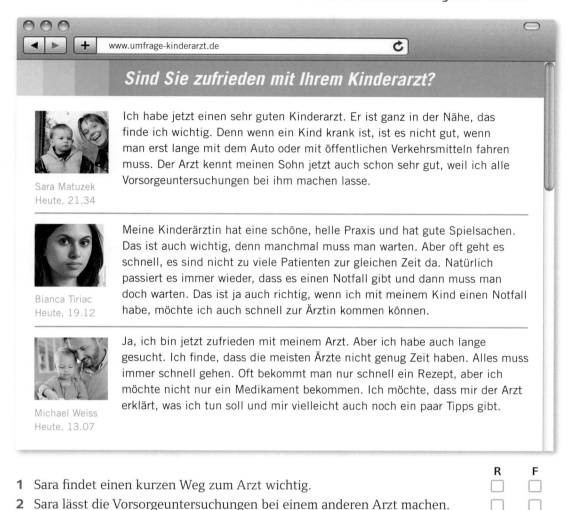

Sind Sie zufrieden mit Ihrem Kinderarzt?

Sara Matuzek
Heute, 21.34

Ich habe jetzt einen sehr guten Kinderarzt. Er ist ganz in der Nähe, das finde ich wichtig. Denn wenn ein Kind krank ist, ist es nicht gut, wenn man erst lange mit dem Auto oder mit öffentlichen Verkehrsmitteln fahren muss. Der Arzt kennt meinen Sohn jetzt auch schon sehr gut, weil ich alle Vorsorgeuntersuchungen bei ihm machen lasse.

Bianca Tiriac
Heute, 19.12

Meine Kinderärztin hat eine schöne, helle Praxis und hat gute Spielsachen. Das ist auch wichtig, denn manchmal muss man warten. Aber oft geht es schnell, es sind nicht zu viele Patienten zur gleichen Zeit da. Natürlich passiert es immer wieder, dass es einen Notfall gibt und dann muss man doch warten. Das ist ja auch richtig, wenn ich mit meinem Kind einen Notfall habe, möchte ich auch schnell zur Ärztin kommen können.

Michael Weiss
Heute, 13.07

Ja, ich bin jetzt zufrieden mit meinem Arzt. Aber ich habe auch lange gesucht. Ich finde, dass die meisten Ärzte nicht genug Zeit haben. Alles muss immer schnell gehen. Oft bekommt man nur schnell ein Rezept, aber ich möchte nicht nur ein Medikament bekommen. Ich möchte, dass mir der Arzt erklärt, was ich tun soll und mir vielleicht auch noch ein paar Tipps gibt.

		R	F
1	Sara findet einen kurzen Weg zum Arzt wichtig.	☐	☐
2	Sara lässt die Vorsorgeuntersuchungen bei einem anderen Arzt machen.	☐	☐
3	Bianca gefällt die Praxis von der Kinderärztin.	☐	☐
4	Bianca findet es richtig, dass sie manchmal beim Arzt warten muss.	☐	☐
5	Michael findet, dass die Ärzte nicht genug Medikamente verschreiben.	☐	☐
6	Michael ist schon lange bei dem Kinderarzt.	☐	☐

B   Medikamente

9 In der Apotheke. Was passt zusammen? Ordnen Sie zu.

1 Wie oft muss ich die Tabletten einnehmen?

2 Was kostet das Medikament?

3 Guten Tag, haben Sie dieses Medikament?

4 Wann kann ich das Medikament abholen?

5 Haben die Tabletten Nebenwirkungen?

A Nein, tut mir leid, das muss ich erst bestellen.

B Heute Nachmittag ab 16 Uhr.

C Dreimal täglich vor dem Essen.

D Sie müssen das Medikament nicht komplett bezahlen. Sie müssen nur die Zuzahlung von 7 Euro zahlen.

E Selten sind Kopfschmerzen die Nebenwirkungen.

◀)) **10** Textkaraoke. Hören, lesen und sprechen Sie die 👄-Rolle im Dialog.
2.12

👂 …

👄 Ich habe starken Husten.

👂 …

👄 Nein, noch nicht. Können Sie mir Medikamente empfehlen?

👂 …

👄 Haben die Tabletten Nebenwirkungen?

👂 …

👄 Und wie oft muss ich die Tabletten einnehmen?

👂 …

👄 Gut. Vielen Dank, die nehme ich.

👂 …

◀)) **11a** Die Hausapotheke. Hören Sie das Interview und kreuzen Sie an.
2.13

1 Was benutzt Frau Schneider gegen Schnupfen?

A ☐   B ☐   C ☐   D ☐

2 Was braucht Herr Tanager, wenn die Kinder Fieber haben?

A ☐   B ☐   C ☐   D ☐

11b Was sollte Frau Schneider immer in ihrer Hausapotheke haben? Schreiben Sie Sätze wie im Beispiel.

1   2   3   4   5

1 Frau Schneider sollte eine Pinzette in ihrer Hausapotheke haben.

C Ernährung und Gesundheit

12 Welche Nahrungsmittel essen Sie wann? Was essen und trinken Sie oft zum Frühstück, zum Mittagessen und zum Abendessen? Schreiben Sie Sätze.

Frühstück	Mittagessen	Abendessen
Milchprodukte: ...	Fisch: ...	Obst: Äpfel, ...

> Zum Frühstück esse ich viele Milchprodukte. Ich esse oft ...

13a Was bedeuten die Wörter? Ergänzen Sie.

> verzichtet • Vegetarier • Nahrungsmittel • Veganer • Milchprodukte • etwas ablehnen

1 .... essen kein Fleisch und keinen Fisch.

2 .... essen kein Fleisch, keinen Fisch, kein Ei und keine Milchprodukte.

3 Käse, Butter, Joghurt und Quark sind ....

4 Wenn man etwas mag, aber man es nicht nimmt, dann .... man auf etwas.

5 Alles, was man essen kann, nennt man ....

6 Gegen etwas sein, bedeutet ....

13b Lesen Sie das Interview und ergänzen Sie die Wörter aus 13a.

> ▶ Herr Weber, warum essen Sie kein Fleisch?
> ● *Ich habe früher gerne Fleisch gegessen. Aber dann habe ich im Fernsehen eine Sendung über Tierhaltung gesehen. Mir tun die Tiere leid. Ich*
>
> .... *diese Tierhaltung* .... *. Und deshalb*
>
> .... *ich jetzt auf alle Fleischprodukte.*
>
> ▶ Denken Sie, dass Ihnen jetzt etwas fehlt in der Ernährung?
> ● *Nein, ich glaube nicht, dass man unbedingt Fleisch oder Fisch essen muss. Es gibt viele andere gesunde*
>
> .... *. Ich esse gern Käse oder Joghurt, also viele* .... *.*
>
> ▶ Und wie ist es in Ihrer Firma? Gibt es in der Kantine auch vegetarisches Essen?
>
> ● *Ja, jeden Tag gibt es ein Essen für* .... *.*
>
> ▶ Und gibt es auch schon Angebote für .... ?
> ● *Nein, veganes Essen gibt es nur selten.*

Anton Weber, 27

9

🔊 **14a** Ratschläge. Hören Sie das Interview. Wer sagt was? Ordnen Sie zu.
2.14

A Frau Nerval  B Herr Bruckstätter  C Frau Mangelsdorff

☐ Bewegung ist wichtig für die Gesundheit • ☐ Das Essen sollte nicht zu fett sein. •
☐ Eine Tasse Kaffee am Morgen ist wichtig. • ☐ Der Körper braucht Vitamine. •
☐ Die Luft ist gesund. • ☐ Das Leben in der Stadt ist hektisch.

🔊 **14b** Nebensätze mit *dass*. Hören Sie noch einmal und ergänzen Sie die Sätze aus 14a.
2.14

1 Frau Nerval sagt, dass ....

2 Frau Nerval sagt, dass ....

3 Herr Bruckstätter sagt, dass ....

4 Herr Bruckstätter sagt, dass.. .

5 Frau Mangelsdorff sagt, dass ....

6 Frau Mangelsdorff sagt, dass ....

15a Schreibtraining. Lesen und ergänzen Sie den Entschuldigungsbrief.

Liebe Frau Nesta,   Steinfurt, den 26.04.2016

seit gestern habe ich starke Kopfschmerzen und heute ha *be* ich auch noch Fie _ _ _
bekommen. Ich war be _ _ Hausarzt und er ha_ mich für drei Ta _ _ krankgeschrieben.
Ich frage Bilkay Fahimi, welche Hausau _ _ _ _ _ _ wir machen sollen. Sie hil _ _ mir
bestimmt.
Bitte entsch _ _ _ _ _ _ _ Sie mein Fehlen. Ic _ hoffe, dass ich a _ Donnerstag wieder
in de _ Kurs kommen kann.

Vie _ _ Grüße

Maria Clemente

15b Schreiben Sie einen Entschuldigungsbrief in Ihr Heft. Variieren Sie die Wörter in Blau.

Lieber Herr Neumann, ...

16a Zutaten für Maultaschen. Was ist was? Ordnen Sie die Fotos zu.

MAULTASCHEN –
eine schwäbische Spezialität

Zutaten
Für den Teig:
- ✓ 300 g Mehl
- ✓ etwas Salz
- ✓ 2 Eier
- ✓ 5 Esslöffel Wasser
- ✓ 1 Esslöffel Öl

Für die Füllung:
- ✓ ½ Packung Spinat (Tiefkühlspinat)
- ✓ 250 g Brät oder Mett oder Hackfleisch
- ✓ 1 Ei
- ✓ 1 Zwiebel
- ✓ 2 Esslöffel Paniermehl
- ✓ Salz und Pfeffer und etwas Muskat
- ✓ 1 Bund Petersilie

16b Lesen Sie das Rezept und ordnen Sie die Überschriften zu.

☐ Maultaschen machen: • ☐ Maultaschen essen: • ☐1 Den Teig machen: •
☐ Maultaschen variieren: • ☐ Die Füllung machen:

1. Mehl, Salz, zwei Eier, Wasser und Öl mischen und intensiv kneten, damit ein glatter Nudelteig entsteht.

2. Den Spinat auftauen und dann fein hacken. Die Zwiebel schälen und zusammen mit der Petersilie fein hacken. Dann in eine Pfanne mit heißem Öl geben. Die Zwiebel nur glasig anbraten und nicht braun anbraten. Spinat, Fleisch, Ei, Zwiebel, Petersilie, Muskat und Paniermehl gut vermischen.

3. Den Nudelteig ausrollen und in kleine Rechtecke schneiden (ca. 7 cm x 7 cm). Mit einem Löffel etwas von der Füllung auf ein Rechteck geben. Ein zweites Rechteck darüberlegen und gut andrücken. Es darf keine Luft in der Maultasche sein. Die Maultaschen in kochendes Salzwasser geben und ungefähr 20 Minuten bei kleiner Hitze im Wasser ziehen lassen. Das Wasser darf nicht mehr sprudelnd kochen.

4. Maultaschen gibt es mit vielen verschiedenen Füllungen: Für Vegetarier z. B. mit Quark oder Frischkäse und für Veganer mit Tofu und Pilzen. Probieren Sie es einfach aus!

5. Sie können die Maultaschen entweder in einer Brühe essen, in Öl anbraten oder mit Käse überbacken.

Guten Appetit!

Sorgen haben ....

sich entspannen ....

sich bewegen ....

sich ernähren ....

abnehmen ....

zunehmen ....

schlank sein ....

dick sein ....

schlechte Luft ....

das Fitnesscenter, - ....

trainieren ....

die Entspannung, Sg. ....

A In der Arztpraxis

Platz nehmen ....

der/die Arzthelfer/in, -/nen ....

die Beschwerde, -n ....

die Krankheit, -en ....

den Blutdruck messen ....

Blut abnehmen ....

impfen (gegen) ....

den Oberkörper frei machen ....

verschreiben ....

vereinbaren ....

der Gesundheits-Check, -s ....

die Laboruntersuchung, -en ....

die Vorsorgeuntersuchung, -en ....

das Ergebnis, -se ....

in Ordnung

vernünftig ....

die Blutwerte, Pl. ....

hoch ....

B Medikamente

die Magenschmerzen, Pl. ....

einnehmen ....

der Beipackzettel, - ....

die Nebenwirkungen, Pl. ....

empfindlich ....

empfehlen ....

wieso ....

die Hausapotheke, -n ....

der Verband, "-e ....

das Pflaster, - ....

der Durchfall, Sg. ....

die Schere, -n ....

die Salbe, -n ....

die Nasentropfen, Pl. ....

die Spritze, - en ....

C Ernährung und Gesundheit

die Ernährung, Sg. ....

das Vitamin, -e ....

die Getreideprodukte, Pl. ....

vermeiden ....

verzichten (auf) ....

das Fett, -e ....

die Süßigkeiten, Pl. ....

schaden ....

fettarm ....

....

1 **Wie heißt das Gegenteil? Ordnen Sie zu.**

1 abnehmen   A Stress haben

2 sich entspannen   B gut sein für etwas

3 sich gesund ernähren   C fit sein

4 sich bewegen   D keinen Sport machen

5 sich krank fühlen   E zunehmen

6 schaden   F ungesund essen

2a **Beim Arzt und in der Apotheke. Welches Verb passt? Ergänzen Sie.**

> nehmen • impfen • abnehmen • untersuchen • messen •
> geben • verschreiben • bezahlen • haben • messen

1 gegen Grippe _____   6 die Augen _____

2 Halstabletten _____   7 Blut _____

3 ein Medikament _____   8 Blutdruck _____

4 eine Spritze _____   9 Nebenwirkungen _____

5 eine Gebühr _____   10 Fieber _____

2b **Schreiben Sie Sätze mit den Wörtern aus 2a.**

> *1 Der Arzt impft den Jungen gegen Grippe.*

3 **Wie heißen die Wörter aus der Hausapotheke? Schreiben Sie die Wörter mit Artikel.**

> mittel • thermometer • Brand • Fieber • Nasen • salbe • tropfen • Schmerz

1 ....   2 ....   3 ....   4 ....

◀))
2.15 **4** **Wörter hören und nachsprechen. Hören Sie zu und sprechen Sie nach.**

1 das Fitnesscenter – der Gesundheits-Check – die Vorsorgeuntersuchung

2 der Beipackzettel – die Nebenwirkungen – die Hausapotheke

3 die Tablette – die Schere – die Salbe – die Spritze

4 die Milchprodukte – die Getreideprodukte – die Süßigkeiten

5 Im Ärztehaus. Sehen Sie das Bild an und ordnen Sie die Wörter zu.

> 12 die Physiotherapeutin • 10 die Orthopädin • ☐ der Hausarzt •
> 8 der Psychotherapeut • ☐ der Augenarzt • ☐ der Empfang •
> ☐ die Zahnärztin • ☐ der Ohrenarzt • 7 die Internistin •
> ☐ der Kinderarzt • ☐ die Gynäkologin • 9 der Radiologe

6 Hören Sie die Wörter und sprechen Sie nach.

2.16

7a Wer macht was? Ordnen Sie die Aktivitäten zu.

☐ ein Röntgenbild machen • ☐ ein Gespräch über die Schwangerschaft führen •
☐ mit den Patienten über Probleme sprechen • ☐ die Lunge abhören •
☐ gymnastische Übungen machen • ☐ das Kniegelenk untersuchen • ☐ bohren •
☐ ein verletztes Auge untersuchen • ☐ einen Termin machen •
☐ die Ohren untersuchen • ☐ den Blutdruck messen • ☐ eine Spritze geben

7b Sprechen Sie über die Aktivitäten wie im Beispiel.

Der Krankengymnast macht gymnastische Übungen mit den Patienten.

10 Arbeitssuche

1a Wie kann man Arbeit finden? Welches Wort passt? Schreiben Sie.

> kumtiPrak • armafirZeitbeits • tivbebungIniwertia

1 Man hat keine Stellenanzeige gefunden, man schickt aber an verschiedene Firmen die

Bewerbungsunterlagen: die ....

2 Man arbeitet in einer Firma, man bekommt aber nur wenig oder kein Geld, weil man die

Arbeit kennenlernen soll: das ....

3 Wenn man für eine ....
arbeitet, dann arbeitet man an verschiedenen Arbeitsstellen.

1b Lesen Sie den Text und ergänzen Sie die Sätze.

> dass ich in der Firma bleibe • aber ich habe nichts gefunden •
> weil ich die Arbeit in vielen verschiedenen Firmen kennengelernt habe •
> weil ich nicht genug Deutsch konnte

Erfahrungen bei der Arbeitssuche

Roshan Asanka

Mein Name ist Roshan Asanka und ich lebe seit drei Jahren in Deutschland. Ich bin Lehrer für Physik und Mathematik. Aber ich konnte in Deutschland nicht in einer Schule arbeiten,

....

Deshalb habe ich eine Fortbildung gemacht und habe eine neue Programmiersprache gelernt. Dann habe ich im Internet nach Stellen gesucht, ...
Eine Bekannte hat mir eine Zeitarbeitsfirma empfohlen. Das war eine gute Idee. Ich habe mich dort beworben und habe in verschiedenen Firmen gearbeitet. Das war anstrengend, weil ich immer wieder neue Kollegen hatte. Aber es war auch interessant, ... Nach einem Jahr war ich in einer kleinen Elektrofirma. Die waren sehr zufrieden mit mir und wollten, ...
Das war natürlich super für mich und ich habe sofort ja gesagt.

2 Wie haben Sie oder Ihre Bekannten Arbeit gefunden? Schreiben Sie Sätze wie in 1b.

A Stellenanzeigen lesen

3a In welcher Stellenanzeige ist welche Eigenschaft wichtig? Ordnen Sie zu.

1 ☐ belastbar   **2** ☐ flexibel   **3** ☐ teamfähig

A

Das Hotel „Zur Sonne" sucht **Hausmeister** (m/w) in Teilzeit (20 Std./Woche).
Sie haben einen Führerschein Klasse B und können zu verschiedenen Tageszeiten und auch am Wochenende arbeiten?

Dann schicken Sie Ihre Bewerbung an:
Hotel „Zur Sonne" | Brauhausstraße 11 | 36043 Fulda

B

Freundliche/r Kellner/in gesucht
Sie haben bereits Berufserfahrung und bleiben auch bei Stress freundlich?

Dann bewerben Sie sich noch heute bei
Interim-Zeitarbeit

www.interim-gastronomie.de

C

Sprachschule International sucht **Sprachlehrer/innen**.

Sie haben eine Ausbildung in Deutsch als Fremdsprache und arbeiten gerne mit Menschen aus der ganzen Welt zusammen? Dann sind Sie bei uns richtig und wir freuen uns über Ihre Bewerbung.

Bewerbung an:
personal@Sprachschule_International_Bielefeld.de

3b Wo haben sich die Personen beworben? Hören Sie drei Interviews und ordnen Sie die Anzeigen aus 3a zu.

1 ☐ Herr Sanders   **2** ☐ Frau Yılmaz   **3** ☐ Herr Steiner

3c Hören Sie die Interviews noch einmal und kreuzen Sie an: Richtig oder falsch?

	R	F
1 Herr Sanders arbeitet jetzt als Lkw-Fahrer.	☐	☐
2 Herr Sanders hat keine Berufserfahrung als Hausmeister.	☐	☐
3 Frau Yılmaz hat an der Universität in Jena studiert.	☐	☐
4 Frau Yılmaz hat eine lange Berufserfahrung als Lehrerin.	☐	☐
5 Herr Steiner sucht jetzt eine Stelle in einem Restaurant.	☐	☐
6 Herr Steiner hat jetzt Berufserfahrung als Kellner.	☐	☐

4 Die Kursparty. Was machen wir? Ergänzen Sie den Dialog mit *würde*.

● Nächste Woche machen wir unsere Kursparty. Was .... ihr gern machen?

● Wir .... gern gemütlich Karten spielen.

● Ich .... gern tanzen.

● Du .... gern tanzen? Das glaube ich nicht!

● Doch, ich tanze oft. Ich .... auch gern Musik machen.

● Anton und Asita sind heute nicht da. Was .... sie gern machen?

● Ich glaube, sie .... lieber Karten spielen als tanzen.

5 Was würde Victor gern machen? Schreiben Sie Sätze wie im Beispiel.

1 einen guten Schul-
abschluss machen

2 eine große Reise machen

3 eine Ausbildung machen

4 die Führerschein-
prüfung bestehen

5 ein eigenes Auto kaufen

6 eine Freundin finden

1	Victor	würde gern	einen guten Schulabschluss	machen.
2	Er			
3				
4				
5				
6				

6 Schreiben Sie die Wünsche mit *würde gern*.

1 Ich möchte gern Fußball spielen. Das ist mein Wunsch. ....

2 Er hat einen Traum. Er möchte einen Porsche kaufen. ....

3 Sie möchten gern Fußball spielen. ....

4 Wir möchten sehr gern in einer Großstadt wohnen. ....

7 Welche Wünsche haben Sie für Ihr Leben in Deutschland? Schreiben Sie drei Sätze in Ihr Heft.

B Der erste Kontakt

8 Wiederholung: indirekte Fragen mit Fragewort. Schreiben Sie indirekte Fragen.

1 Wo arbeiten Sie? Darf ich fragen, _____?

2 Wie lange dauert die Ausbildung? Wissen Sie, _____?

3 Wie viel kann man verdienen? Können Sie mir sagen, _____?

4 Warum haben Sie diesen Beruf gewählt? Darf ich fragen, _____?

9 Indirekte Fragen mit *ob*. Schreiben Sie indirekte Fragen.

1 Sind Sie zufrieden mit Ihrer Arbeit? Darf ich fragen, _____?

2 Ist die Bezahlung in dieser Firma gut? Können Sie mir sagen, _____?

3 Gibt es bei dieser Arbeit auch Schichtarbeit? Wissen Sie, _____?

4 Kann man eine feste Stelle bekommen? Können Sie mir sagen, _____?

10 Was denken Julia und Patrick? Schreiben Sie die Sätze in Ihr Heft.

Julia hat einen neuen Job. Was denkt sie?
1 Was muss ich am ersten Tag machen?
2 Was soll ich anziehen?
3 Ist die Arbeit schwer?
4 Sind die Kollegen nett?

1. Ich weiß nicht, was ich ...

Patrick macht bald seinen Schulabschluss. Was denkt er?
1 Was soll ich nach der Schule machen?
2 Soll ich einen handwerklichen Beruf lernen?
3 Wie kann ich einen Ausbildungsplatz finden?
4 Sind meine Noten gut genug?

1. Ich bin nicht sicher, was ich ...

11 Was denken Mia und Ben über ihre Hochzeit? Schreiben Sie Sätze in Ihr Heft.

1 Sollen wir bald ein Kind bekommen?

2 Wo wollen wir die Hochzeitsfeier machen?

3 Wie viele Leute wollen wir zur Hochzeit einladen?

4 Finden meine Eltern ihn sympathisch?

5 Was für ein Kleid trage ich auf der Hochzeit?

6 Habe ich noch Zeit für meine Hobbys?

1. Ben weiß nicht, ob ...

12 *Dass* oder *ob*? Ergänzen Sie die Dialoge.

1 • Kommt Ben heute Abend?

   • Ich bin ziemlich sicher, ... er heute kommt.

   • Ich weiß nicht, ... er heute kommt.

2 • Bringt er Mia mit?

   • Ich habe nicht gefragt, ... er sie mitbringt.

   • Es ist möglich, ... er sie mitbringt.

3 • Wollt ihr wieder zusammen Karten spielen?

   • Ich denke, ... wir nach dem Essen Karten spielen.

   • Ich bin nicht sicher, ... wir nach dem Essen Karten spielen.

13 Ist die Stelle noch frei? Ergänzen Sie den Dialog.

> Und ich würde gern wissen, wie die Bezahlung ist. • Guten Tag, Jetan Haralan.
> Ich habe Ihre Anzeige gelesen. Sie suchen einen Fahrer. Ist die Stelle noch frei? •
> Sehr gut. Können Sie mir sagen, wie die Arbeitszeiten sind?

• EHK-Transporte, am Apparat Yasin Gül. Guten Tag.

• ....

• Ja, sie ist noch frei.

• ....

• Wir beginnen um 8 Uhr und arbeiten bis 17 Uhr. Mittags gibt es eine Stunde Pause.

• ....

• Das sollten wir hier besprechen. Kommen Sie bitte morgen um 14 Uhr in mein Büro.

14 Textkaraoke. Hören, lesen und sprechen Sie die 👄-Rolle im Dialog.
2.18

👂 …

👄 Ich habe Ihren Aushang gesehen. Sie suchen Aushilfen für die Weihnachtszeit.

👂 …

👄 Ja, das geht. Können Sie mir sagen, wie die Arbeitszeiten genau sind?

👂 …

👄 Ja, schon einmal, als Aushilfe für drei Monate.

👂 …

👄 Gern. Können Sie mir bitte die Adresse sagen?

C   Die Bewerbung

15a Der Lebenslauf von Sergej Pilakew. Lesen Sie den Text und ergänzen Sie die Partizipien.

> Ich heiße Sergej Pilakew. Ich bin am 11.3.1990 in Uman in der Ukraine geboren. 2005 habe ich in Uman
> den Schulabschluss .... (machen). Von 2005 bis 2007 habe ich am Technikum den Beruf
> Mechatroniker .... (lernen). Danach habe ich acht Jahre in Kiew ....
> (arbeiten), erst in einem Mercedes-Servicecenter und dann bis 2014 in einem Toyota-Servicecenter.
> Im September 2014 bin ich nach Deutschland .... (kommen).
> Von November 2014 bis Juli 2015 habe ich bei der AWO in Lübeck einen Integrationskurs
> .... (besuchen) und mit dem DTZ .... (beenden). Seit August 2015
> mache ich ein Praktikum in der Autowerkstatt Schmidt in Lübeck. Meine Muttersprache ist Russisch und ich
> spreche auch Ukrainisch und schon gut Deutsch.

15b Lesen Sie den Text in 15a noch einmal und ergänzen Sie die fehlenden Informationen im Lebenslauf.

Lebenslauf

Persönliche Daten

Vor- und Nachname: ....
Anschrift: Kampweg 15 | 23569 Lübeck
Telefon: 04 51/77 54 12
E-Mail: SPilakew@gmx.net
Geburtsdatum/-ort: ....

Schulbildung

07/05   Schulabschluss, Uman

Berufsausbildung

09/05-06/07   ...., Uman

Berufserfahrung

seit 08/15   ...., Lübeck
05/11-07/14   ...., Kiew
07/07-04/11   ...., Kiew

Kenntnisse

Russisch: ....
Ukrainisch: C2
Deutsch: B1

Lübeck, 15.02.2016   *S. Pilawek*

15c Wie kann Herr Pilakew sein Deutsch weiter verbessern? Schreiben Sie Ratschläge.

> viel Radio hören • Zeitung lesen • im Internet Nachrichten auf Deutsch lesen •
> einen deutschen Blog schreiben • mit seinen Nachbarn sprechen •
> einen berufsorientierten B2-Sprachkurs machen

📢 2.19 16a Welchen Beruf hat Herr Engström? Hören Sie und kreuzen Sie an.

1 ☐ Koch   **2** ☐ Zimmerservice   **3** ☐ Kellner

📢 2.19 16b Hören Sie das Gespräch noch einmal und kreuzen Sie an: Richtig oder falsch?

		R	F
1	Herr Engström hat seine Ausbildung im Hotel Elbufer gemacht.	☐	☐
2	Er spricht kein Englisch.	☐	☐
3	Er hat die Gäste bedient und beraten.	☐	☐

📢 2.20 17a Fragen beim Vorstellungsgespräch. Welche Antwort passt? Hören Sie und kreuzen Sie an.

1 **A** ☐ Ein Jahr.
    B ☐ Bei MAJ in Freiburg.
    C ☐ Ich habe die Prüfung gemacht.

2 **A** ☐ Deutsch ist sehr schwer.
    B ☐ Es gibt eine Deutschprüfung.
    C ☐ Ich habe den Deutsch-Test für Zuwanderer gemacht.

3 **A** ☐ Da habe ich keine Probleme.
    B ☐ Gestern habe ich etwas geschrieben.
    C ☐ Ich verstehe alles.

4 **A** ☐ Ich bin Gärtner von Beruf.
    B ☐ Ich hatte hier noch keine Arbeit.
    C ☐ Ich suche Arbeit.

📢 2.20 17b Hören Sie die Fragen noch einmal. Machen Sie Notizen und beantworten Sie die Fragen für sich.

18 Schreibtraining. Ordnen Sie die Briefteile und schreiben Sie den Bewerbungsbrief in Ihr Heft.

☐ Sehr geehrte Damen und Herren,

☐ Mit freundlichen Grüßen

☐ 1 Jamal Kesete · Bergstr. 5 · 54295 Trier

☐ in der Zeitung vom 06.02.2016 habe ich Ihre Anzeige gelesen und würde mich gerne als Fahrer bei Ihnen bewerben.

☐ *Jamal Kesete*

☐ 08.02.2016

☐ Ich würde mich über eine positive Antwort freuen.

☐ Ich habe den Führerschein Klasse C1 und habe bereits als Paketfahrer gearbeitet. Jetzt arbeite ich als Aushilfe in einem Supermarkt. Ich möchte gerne wieder als Fahrer arbeiten und möchte mich hiermit um die Stelle bewerben. Ich bin zeitlich flexibel und kann ab nächstem Monat anfangen.

19a Tipps für ein Vorstellungsgespräch. Lesen Sie den Text und ordnen Sie die Überschriften zu.

☐ Fragen und Antworten vorbereiten • ☐ Letzte Vorbereitungen •
☐ Informationen über die Firma sammeln • ☐ Passende Kleidung •
☐ Beim Vorstellungsgespräch

Tipps für die Bewerbung

Forum | Tipps | Job & Karriere | Bewerbungsunterlagen

So bereiten Sie sich perfekt auf das Vorstellungsgespräch vor

1. Informieren Sie sich vorher gut über die Firma. Informationen finden Sie im Internet, in der Tageszeitung oder in Prospekten. Wenn Sie Personen kennen, die in der Firma arbeiten, dann fragen Sie diese. ✔

2. Welche Fragen hat die Firma an mich, was kann ich fragen? Schreiben Sie Fragen auf und notieren Sie Ihre Antworten. Üben Sie die Fragen und Antworten mit einem Freund oder einer Freundin. ✔

3. Die Kleidung muss ordentlich sein und sie muss zur Stelle passen. Wenn Sie sich z. B. als Verkäufer in einer Gärtnerei bewerben, dann darf die Kleidung etwas sportlicher sein. Hier passt auch eine gepflegte Jeans. ✔

4. Kommen Sie fünf Minuten vor dem Gesprächstermin und bringen Sie das Einladungsschreiben mit. Schalten Sie Ihr Handy aus. Kommen Sie allein. Die Einladung ist nur für Sie. ✔

5. Sehen Sie Ihren Gesprächspartner bei der Begrüßung freundlich an und lassen Sie ihn ausreden, wenn er spricht. Sprechen Sie ruhig und deutlich. Bedanken Sie sich am Ende für das Gespräch. ✔

19b Was sollte man im Gespräch (nicht) machen? Schreiben Sie Sätze zu den Bildern.

1 Man sollte ...

die Arbeitssuche, Sg. .... teamfähig ....

die Bewerbung, -en .... fleißig ....

die Initiativbewerbung, -en .... kreativ ....

der Aushang, "-e .... ehrlich ....

das Praktikum, Praktika .... geduldig ....

die Zeitarbeitsfirma, -firmen .... der Tourismus, Sg. ....

der/die Bekannte, -en .... der Traum, "-e ....

A Stellenanzeigen lesen

die Stellenanzeige, -n ....

das Stellenangebot, -e ....

die Berufserfahrung, -en ....

die Bezahlung, Sg. ....

die Schichtarbeit, -en ....

in Teilzeit arbeiten ....

in Vollzeit arbeiten ....

eine feste Stelle ....

der Ausbildungsplatz, "-e ....

die Aushilfe, -n ....

der/die Personalberater/in, -/-nen ....

die Auskunft, "-e ....

die Bewerbungsunterlagen, Pl. ....

die Tätigkeit, -en ....

die Bedingung, -en ....

zusammen{arbeiten ....

die Eigenschaft, -en ....

zuverlässig ....

flexibel ....

belastbar ....

engagiert ....

B Der erste Kontakt

der Stundenlohn, "-e ....

der Arbeitsvertrag, "-e ....

die Überstunde, - n ....

vor allem ....

ob ....

C Die Bewerbung

der Lebenslauf, "-e ....

persönliche Daten ....

die Schulbildung, Sg. ....

die Weiterbildung, -en ....

das Diplom, -e ....

das Bewerbungsschreiben, - ....

das Bewerbungsfoto, -s ....

das Bewerbungsgespräch, -e ....

das Vorstellungsgespräch, -e ....

die Arbeitspause, -n ....

das Gehalt, "-er ....

die Teamarbeit, Sg. ....

die Fremdsprache, -n ....

1 Welche Verben passen? Verbinden Sie und schreiben Sie Sätze in Ihr Heft.

1 in Teilzeit	A machen
2 eine feste Stelle	B schicken
3 Überstunden	C schreiben
4 ein Gehalt	D haben
5 sich um eine Stelle	E arbeiten
6 einen Lebenslauf	F bewerben
7 die Bewerbungsunterlagen	G bekommen
8 mit Kollegen	H zusammenarbeiten

Ich arbeite seit zwei Jahren in ...

2 Ergänzen Sie die Nomen mit Artikel.

> ~~das Foto~~ • das Schreiben • das Angebot • die Erfahrung • das Gespräch • die Unter-
> lagen (Pl.) • die Zeit • der Vertrag • die Suche • der Tag • die Schule • die Anzeige

1 Bewerbungs-: *das Bewerbungsfoto,* _____

2 Arbeits-: _____

3 Berufs-: _____

4 Stellen-: _____

3a Welche Wörter passen? Ergänzen Sie die Fragen.

> Stress • Stelle • Schichtarbeit • Überstunden • Team

1 Wir arbeiten hier 24 Stunden am Tag. Haben Sie schon in _____ gearbeitet?

2 Sind Sie belastbar? Bleiben Sie in Situationen mit _____ ruhig?

3 Arbeiten Sie lieber im _____ oder alleine?

4 Sie sagen, Sie würden gern bei uns arbeiten. Warum ist die _____ für Sie interessant?

5 Können Sie abends auch länger bleiben und _____ machen?

3b Antworten Sie auf die Fragen in 3a. Schreiben Sie die Antworten in Ihr Heft.

Ja, ich habe schon in Schichtarbeit ...

4 Wörter hören und nachsprechen. Hören Sie zu und sprechen Sie nach.

2.21

1 flexibel – teamfähig – engagiert – zuverlässig
2 die Zeitarbeitsfirma – die Initiativbewerbung – das Praktikum
3 die Schichtarbeit – die Überstunden – der Stundenlohn – der Arbeitsvertrag

1.
2.
3. belastbar
4. freundlich
5. elegant
6.
7.
8.
9. streng
10.
11. höflich
12. einsam
13. zuverlässig
14.
15. flexibel
16. engagiert

🔊 2.22 **5** Ordnen Sie die Adjektive auf der Seite 130 zu. Hören Sie dann die Wörter und sprechen Sie nach.

> pünktlich • neugierig • kreativ • teamfähig • ordentlich • genervt • erschöpft

🔊 2.23 **6a** Hören Sie und finden Sie die passende Person auf den Fotos. Zeigen Sie auf das Foto.

🔊 2.23 **6b** Hören Sie noch einmal. Reagieren Sie wie im Beispiel.

> Das ist diese Frau hier. Sie ist ordentlich.

1 laut

2

3 klein

4

5 geduldig

6

7 schwach

8

9 alt

10

11

12 traurig

🔊 **7** Gegenteile: Ergänzen Sie die Adjektive auf der Seite 131. Hören Sie dann die Wörter
2.24 und sprechen Sie nach.

8 Arbeiten Sie zu zweit. Schreiben Sie drei Sätze mit Adjektiven über eine Person. Lesen
Sie die Sätze vor, der/die andere rät die Person.

> Meine Person ist pünktlich. Sie lacht
> viel und ist immer fröhlich. Sie ist auch sehr
> geduldig und hilft gerne anderen.

> Das ist Damir.

1a Eine Urlaubsreise machen. Ergänzen Sie die Verben.

> besuchen • machen • packen • fliegen • fahren • einchecken • stehen

1 Herr und Frau Bounou sind am Flughafen. Sie wollen in ihre Heimat, nach Marokko,

.............................., denn sie wollen Verwandte .... Sie .... gerade ....

2 Familie Schmitt .... die Koffer ins Auto. Sie wollen eine Urlaubsreise ....

Sie .... nach Kroatien. Sie hoffen, dass sie nicht im Stau ....

1b Ergänzen Sie die Präpositionen *in*, *aus*, *nach* und *mit*.

1 Herr und Frau Ölmez kommen .... der Türkei. Sie wollen Verwandte besuchen und

fliegen heute .... die Türkei.

2 Familie Schmitt fährt .... dem Auto. Sie wollen .... Kroatien Urlaub am Meer

machen. Sie wollen .... Dubrovnik fahren und die Stadt besichtigen.

2a 🔊 2.25 Interviews mit Reisenden. Hören Sie und kreuzen Sie an: Welche Bilder passen?

2b 🔊 2.25 Hören Sie die Interviews noch einmal und beantworten Sie die Fragen in Ihrem Heft.

Interview 1
1 Wie lange hat die Reise gedauert?
2 Wer hat die Reise bezahlt?
3 Wie war das Hotel?

Interview 2
4 Seit wann lebt er in Deutschland?
5 Was hat er gemacht?
6 Wie hat ihm die Reise gefallen?

3 Wiederholung: Perfekt. Ergänzen Sie die Verben im Perfekt.

> Wir waren von Donnerstag bis Sonntag in Berlin. Wir .... in einem Hotel am Kurfürstendamm
> .... (wohnen). Die Reise .... uns gut .... (gefallen). Wir
> .... viele Museen .... (besichtigen) und eine Stadtrundfahrt ....
> (machen). Am Samstag .... wir nach Potsdam .... (fahren). Abends
> .... wir in einem Restaurant .... (essen). Es war eine tolle Reise. Am Freitag-
> abend .... wir ins Konzert .... (gehen).

★ 4 Meine letzte Reise. Schreiben Sie Sätze wie in 3 in Ihr Heft.

A   Reisevorbereitungen

5a Urlaubsfotos. Was passt zusammen? Verbinden Sie und schreiben Sie Sätze.

> die so voll war. • das so gemütlich war. • der nur am Vormittag geöffnet war. •
> das so sauber war. • die so freundlich waren. • der so viel weißen Sand hatte.

1 Das ist der Strand, ...

2 Das sind die Nachbarn, ...

3 Das ist das Meer, ...

4 Das ist die Stadt, ...

5 Das ist der Markt, ...

6 Das ist das Café, ...

5b Ergänzen Sie *der*, *die*, *das* in den Relativsätzen.

1 Das ist das Lokal, ... auch deutsche Spezialitäten hatte.

2 Das ist der Kellner, ... so nett war.

3 Das ist die Brieftasche, ... ich im Urlaub verloren habe.

4 Das sind die Kinder, ... immer vor dem Haus gespielt haben.

5 Das ist das Museum, ... so interessant war.

6 Familie Hamudi ist neu in der Stadt. Schreiben Sie Relativsätze.

1 Familie Hamudi sucht einen Park. Der Park hat einen schönen Spielplatz.

Familie Hamudi sucht einen Park, ...

2 Frau Hamudi sucht ein nettes Café. Das Café liegt in der Nähe vom Spielplatz.

Frau Hamudi sucht ein nettes Café, ...

3 Familie Hamudi sucht einen Kindergarten. Der Kindergarten bietet Musikunterricht an.

Familie Hamudi sucht einen Kindergarten, ...

4 In der Stadt gibt es viele Geschäfte. Die Geschäfte gefallen ihnen gut.

In der Stadt gibt es viele Geschäfte, ...

7 Landeskundequiz. Schreiben Sie Relativsätze.

1 • *Kennst du* ....
   (eine Stadt – ~~kennen~~ / in Österreich liegen)

   • Ja, zum Beispiel Graz.

Graz

2 • *Kennst du* ....
   (eine Stadt – ~~kennen~~ / an der Grenze zu Polen liegen)

   • Ja, das ist Frankfurt an der Oder.

Frankfurt an der Oder

3 • *Wie* ....
   (der Fluss – heißen / durch Köln fließen)

   • Das ist der Rhein.

der Rhein

4 • *Wie* ....
   (der See – heißen / südlich von München liegen)

   • Das ist der Starnberger See.

der Starnberger See

🔊 2.26

8 Einen Flug buchen. Ordnen Sie und schreiben Sie den Dialog in Ihr Heft.
Kontrollieren Sie dann mit der CD.

☐ Das ist gut. Den Flug können Sie für mich buchen. • ☐ Wann möchten Sie reisen? •
   [1] Guten Tag, was kann ich für Sie tun? • ☐ In dieser Zeit gibt es viele günstige
   Angebote. Hier ist zum Beispiel ein Flug für 172 Euro. • ☐ Guten Tag, ich möchte einen
   Flug nach Athen buchen. • ☐ Sehr gern. Sagen Sie mir bitte Ihren Namen. •
   ☐ Ich möchte am 2.10. von Frankfurt abfliegen und am 5.10. zurückkommen.

9 Wiederholung: *sollen*. Schreiben Sie Sätze.

1 Ich möchte am 31.3. nach Rom fliegen. *Der Hinflug soll* ....
   (der Hinflug – am 31.3. – sein – sollen)

2 Ich möchte eine günstige Unterkunft. ....
   (die Unterkunft – nicht so viel – kosten – sollen)

3 Wir wollen in Hamburg abfliegen. ....
   (der Abflugort – Hamburg – sein – sollen)

4 Ich möchte schnell nach Spanien kommen. ....
   (die Reise – nicht so lange – dauern – sollen)

10 Im Reisebüro. Schreiben Sie einen Dialog.

einen Flug von Basel
nach Berlin buchen

• ....
....

Wann?

• ....
....

Hinflug: 17.2.
Rückflug: 28.2.

• ....
....

Angebot: Hinflug und
Rückflug: 190 Euro

• ....
....

ja/buchen

• ....
....

11a Wiederholung: Verben mit Akkusativ. Unterstreichen Sie den Akkusativ.

1 Ich habe gestern ein Paket bekommen.
2 Hast du die Zeitschrift schon gelesen?
3 Ich suche die Flugtickets.
4 Heute braucht man keinen Regenschirm.
5 Im Urlaub trage ich gern das neue Kleid.
6 Ich muss noch eine Zahnbürste kaufen.

11b Wichtige Verben mit Akkusativ. Suchen Sie die Verben in den Sätzen 1-6 und machen
Sie eine Liste.

Verben mit Akkusativ: bekommen ...

12a Relativpronomen im Akkusativ. Ergänzen Sie *den*, *das* oder *die*.

1 Wo ist das Buch, ... ich immer abends im Bett lese?

2 Ist das hier der Schlüssel, ... die Nachbarn brauchen?

3 Wo ist die Kette, ... ich zum Geburtstag bekommen habe?

4 Wo sind die Handtücher, ... ich letzte Woche gekauft habe?

5 Hast du den blauen Regenschirm, ... ich suche?

6 Ich suche die Flugtickets, ... ich gestern gekauft habe.

7 Wo sind die Schuhe, ... ich gestern getragen habe?

8 Brauchst du die Zahnpasta, ... ich gestern gekauft habe?

12b Schreiben Sie Relativsätze.

1 Ich trage die Jacke immer im Garten.

Wo ist die Jacke, ... ?

2 Ich habe unsere Pässe auf den Tisch gelegt.

Wo sind die Pässe, ... ?

3 Ich habe das Paket gestern bekommen.

Wo ist das Paket, ... ?

4 Ich habe den Rucksack für die Reise gekauft.

Wo ist der Rucksack, ... ?

5 Die Badesachen haben im Schrank gelegen.

Wo sind die Badesachen, ... ?

13 Ordnen Sie zu und schreiben Sie Relativsätze im Nominativ oder Akkusativ.

☐ Die Reisetasche hat viele Fächer. • ☐ Ihr Mann findet das Kleid hässlich. •
☐ Er will den Ring seiner Frau schenken. • ☐ Der Pullover ist warm. •
☐ Er kann die Geschenke in seine Heimat mitnehmen.

1 Herr Asmeron sucht Geschenke, ...

2 Frau Ivanova sucht einen Pullover, ...

3 Frau Marini gefällt ein Kleid, ...

4 Frau da Silva sucht eine Reisetasche, ...

5 Herr Bloch kauft einen Ring, ...

B   Dialoge auf der Reise

14 Reisewörter. Was passt zusammen? Ergänzen Sie die Wörter in den Sätzen 1 und 2.

Pannen- • Auto- • Notruf- • Notruf- • Wagen- • Platz-	-zentrale • -säule • -reservierung • -nummer • -dienst • -panne

1 Wenn man auf der Autobahn eine .... hat, kann man mit dem Handy

oder an einer .... die .... anrufen, die dann den

.... schickt.

2 Bei Reisen mit dem ICE ist es gut, wenn man eine .... hat. Der Sitzplatz

und die .... stehen auf der Reservierung oder auf der Fahrkarte.

◀)) **15** Platzreservierung. Ergänzen Sie den Dialog. Kontrollieren Sie dann mit der CD.
2.27

> Oh, entschuldigen Sie bitte! • Nein, ich habe diesen Platz reserviert. Hier steht es: Platz
> 31 in Wagen 12. • Darf ich Sie kurz stören? Ich glaube, Sie sitzen auf meinem Platz.

● ....

● Das ist nicht möglich. Ich habe für diesen Platz eine Reservierung.

● ....
....

● Haben Sie Wagen 12 gesagt? Wir sind aber in Wagen 11.

● ....

● Das macht nichts. Das ist mir auch schon passiert.

◀)) **16** Textkaraoke. Hören, lesen und sprechen Sie die 👄-Rolle im Dialog.
2.28

👂 ...

👄 Guten Tag, mein Name ist ... Ich habe eine Autopanne.

👂 ...

👄 Ich bin auf der A5. Auf der Notrufsäule steht Kilometer 228.

👂 ...

👄 Es steht direkt neben der Notrufsäule.

👂 ...

C Reiseplanung

17 Die Stadt Heidelberg. Ordnen Sie den Text.

A ☐ kommen jedes Jahr nach Heidelberg. Das Wahrzeichen

B ☐ Touristen machen dort ein Foto.

C [1] Heidelberg liegt in Süddeutschland. Viele Touristen

D ☐ das oben auf einem Berg liegt. Man kann mit einer kleinen

E ☐ fließt ein Fluss, der Neckar. Die alte Brücke über den Neckar

F ☐ von Heidelberg ist das Schloss,

G ☐ Bahn hochfahren oder man kann zu Fuß laufen. Durch die Stadt

H ☐ ist eine wichtige Sehenswürdigkeit in Heidelberg. Viele Tausend

18 Über etwas diskutieren. Was passt? Ordnen Sie zu.

> Ich schlage vor, dass … • Ja, so machen wir es. • Das finde ich gut. •
> Ich denke, wir sollten … • Das finde ich nicht so gut. • Nein, ich möchte lieber … •
> Einverstanden. • Das ist eine gute Idee. • Ich finde es besser, wenn …

einen Vorschlag machen	zustimmen	ablehnen

2.29

19 Eine Reise planen. Hören Sie und kreuzen Sie an: Welche Antwort passt?

1 A ☐ Nein, wir sollten lieber mit
      dem Auto fahren.
   B ☐ Der Zug fährt um 12:05 Uhr.
   C ☐ Wir haben keine Fahrkarten.

2 A ☐ Er kommt morgen aus dem
      Urlaub zurück.
   B ☐ Das dauert drei Tage.
   C ☐ Ich schlage vor, dass wir drei
      Tage Urlaub machen.

3 A ☐ Ich möchte lieber in die Schweiz.
   B ☐ In Salzburg ist Mozart geboren.
   C ☐ Salzburg liegt in Österreich.

4 A ☐ Ich möchte lieber im Hotel
      übernachten.
   B ☐ Einverstanden.
   C ☐ Die Fahrkarten sind günstig.

20 Schreibtraining. Schreiben Sie den Brief richtig. Achten Sie auf Punkte, Kommas und die Groß- und Kleinschreibung.

> , , , • • • •

Fehler +++ Fehler +++ Fehler

lieberhansjetztsindwirschonzweitagehierammeerdaswetteristfantastischundwirbadenjeden-
tagabendsgehenwirineinkleinesrestaurantdassspezialitätenausderregionhatschadedassd-
unichtmitkommenkonntestliebegrüßemurat

21a Sehen Sie die Internetseite an. Was findet man wo? Markieren Sie wie im Beispiel auf der Internetseite.

1 Hier bekommt man Informationen, wann die Züge fahren und kann Fahrkarten kaufen.

2 Hier bekommt man Informationen, wie teuer das Ticket ist.

3 Hier kann man das „Schönes-Wochenende-Ticket" online kaufen.

4 Hier kann man die Informationen ausdrucken.

5 Hier steht, wann man mit dem Ticket fahren kann.

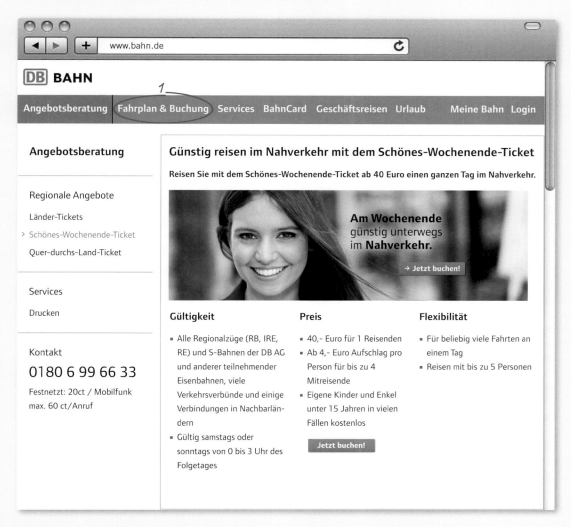

21b Lesen Sie den Text und beantworten Sie die Fragen.

1 Wie viele Personen können mit dem „Schönes-Wochenende-Ticket" fahren?

....

2 Wie lange ist das Ticket gültig?

....

3 Welche Züge kann man benutzen?

....

die Geschäftsreise, -n ....

die Urlaubsreise, -n ....

der Stau, -s ....

einchecken ....

der/die Reisende,-n ....

die Kamera, -s ....

das Reisedokument, -e ....

die Brieftasche, -n ....

das Kiosk, -e ....

das Lokal, -e ....

A Reisevorbereitungen

die Reisezeit, Sg. ....

das Urlaubsfoto, -s ....

das Museum, Museen ....

der Strand, "-e ....

der Sand, Sg. ....

feiner Sand ....

für Kinder geeignet ....

der Campingplatz, "-e ....

die Wanderung,-en ....

der Flug, "-e ....

der Abflug, "-e ....

der Hinflug, "-e ....

der Rückflug, "-e ....

der Abflugort, -e ....

das Flugticket, -s ....

ab{fliegen ....

buchen ....

der Katalog, -e ....

der Rucksack, "-e ....

die Sonnencreme, -s ....

die Sonnenbrille, -n ....

die Badesachen, Pl. ....

die Batterie, -n ....

die Zahnbürste, -n ....

B Dialoge auf der Reise

der Autounfall, "-e ....

die Notrufsäule, -n ....

die Notrufzentrale, -n ....

der Pannendienst, -e ....

die Autopanne, -n ....

der Kilometer, - ....

der Wagen, - ....

Das macht nichts! ....

die Platzreservierung, -en ....

besetzt ....

C Reiseplanung

das Reiseziel, -e ....

das Ausflugsziel, -e ....

die Unterkunft, "-e ....

die Altstadt, Sg. ....

die Burg, -en ....

ideal ....

autofrei ....

überall ....

der Fahrradweg, -e ....

die Insel, -n ....

die Küste, -n ....

der Rundgang, "-e ....

baden .... das Zelt, -e ....

der Ausweis, -e .... vor‹schlagen ....

der Schlafsack, "-e ....

der Reiseführer, - ....

die Regensachen, Pl. ....

1 **Welche Wörter passen zusammen? Ergänzen Sie die Tabelle wie im Beispiel.**

> buchen • der Abflug • ~~reisen~~ • reservieren • ~~der/die Reisende~~ • fliegen •
> der Vorschlag • das Flugzeug • die Buchung • ~~die Reise~~ • vorschlagen • der Flug •
> die Reservierung • abfliegen

Verben	Nomen
reisen	die Reise der/die Reisende

2 **Welches Wort passt nicht? Streichen Sie durch.**

1 die Insel – die Küste – der Strand – die Notrufsäule
2 das Flugticket – der Ausweis – die Regensachen – der Pass
3 der Pannendienst – die Platzreservierung – der Stau – der Autounfall
4 der Hinflug – der Rückflug – die Burg – das Flugticket

3a **Was braucht man für die Reise? Finden Sie acht Wörter.**

> ~~Aus~~ • Ka • Kof • Rei • Ruck • Schlaf • Ti • Zahn • bürs •
> cket • do • fer • ku • me • ment • ra • sack • sack • se • te • ~~weis~~

der _Ausweis_ der .... der .... der ....

das .... das .... die .... die ....

3b **Tipps für Radtouren. Ergänzen Sie Wörter aus 3a.**

Ein .... ist bei einer Radtour praktischer als ein ....

Möchten Sie Fotos machen? Dann vergessen Sie Ihre .... nicht.

Wollen Sie in einem Zelt übernachten? Dann brauchen Sie auch einen ....

4 **Wörter hören und nachsprechen. Hören Sie zu und sprechen Sie nach.**
2.30

1 die Geschäftsreise – die Urlaubsreise – die Reisedokumente
2 der Autounfall – die Notrufzentrale – der Pannendienst
3 besetzt – geeignet – ideal - überall

5a Welche Urlaubsaktivitäten sehen Sie? Ergänzen Sie.

1 ....
2 Enten füttern
3 angeln
4 segeln
5 tauchen

6 ....
7 einen Drachen steigen lassen

8 ....

9 Holz hacken
10 ein Feuer machen

11 ....
12 sich sonnen
13 Volleyball spielen

14 ....
15 sich im Liegestuhl entspannen
16 in der Hängematte schlafen

17 ....
18 ein Zelt aufbauen
19 mit dem Hund spazieren gehen

20 ....
21 klettern
22 eine Burg besichtigen

23 ....

24 ....

5b Hören Sie die Aktivitäten, zeigen Sie sie auf dem Bild und sprechen Sie nach.

2.31

6

Was kann man wann gut machen? Was haben Sie schon gemacht? Sprechen Sie wie im Beispiel.

> Im Sommer kann man gut im See baden.

> Ich bin schon oft mit meiner Familie an den See gefahren.

7

Was machen Sie am liebsten im Urlaub? Ein Ratespiel. Spielen Sie zu zweit. Beide wählen fünf Aktivitäten aus und schreiben sie auf einen Zettel. Fragen und antworten Sie. Wer hat zuerst die fünf Aktivitäten erraten?

> Ich glaube, du möchtest am liebsten ein Museum besuchen.

> Ja, das ist richtig. Du darfst noch einmal.

> Nein, falsch. Jetzt bin ich dran. Ich glaube, du …

Station

3

1 **Lesen Sie und ergänzen Sie in A–G.**

✓ ✗ **Ich kann auf Deutsch**

☐ ☐ **A** sagen, wozu ich etwas mache.

    1 Ich mache Sport, *damit* ....

    2 Ich mache den Deutschkurs, *damit* ....

    3 Ich höre jeden Morgen Radio, *damit* ....

☐ ☐ **B** mich telefonisch für einen Kurs anmelden.

> anmelden • interessiere • Termin • wie • Computerkurs • Name • kostet

  ● Guten Tag, mein .... ist Ana Cruz. Ich .... mich für einen

     .... Wann ist der nächste .... ?

  ● Die nächsten Kurse beginnen Anfang Mai.

  ● Was .... ein Kurs und .... kann ich mich .... ?

  ● Der Preis ist 135 Euro. Die Anmeldung ist auch im Internet möglich.

☐ ☐ **C** Ratschläge geben.

    1 ● Meine Frau arbeitet zu viel.

       ● *Sie sollte mehr Sport machen.* ....

    2 ● Ich kann nicht einschlafen.

       ● *Du* ....

    3 ● Ich suche Arbeit.

       ● ....

☐ ☐ **D** nach Informationen über ein Medikament fragen.

    1 ● *Wie oft muss ich die Tabletten nehmen?* ....

       ● Dreimal am Tag.

    2 ● ....

       ● Manchmal sind Kopfschmerzen möglich.

    3 ● ....

       ● Nehmen Sie die Tabletten 14 Tage.

E am Telefon nach Informationen über einen Arbeitsplatz fragen. ☐ ☐

- *Guten Tag, ich habe Ihre* ....

.... (ihre Stellenanzeige lesen, noch frei?)

- Ja, sie ist noch frei.

- .... (Arbeitszeiten?)

- Sie arbeiten montags bis freitags von 7 bis 15 Uhr.

- ....

.... (fester Stundenlohn bekommen?)

- Das können wir hier in der Firma besprechen.

F meinen Lebenslauf schreiben. ☐ ☐

Lebenslauf

Schulbildung:

....

....

Ausbildung/Weiterbildung:

....

....

Berufserfahrung:

....

....

Kenntnisse:

....

....

G mit anderen eine Reise planen. ☐ ☐

- Ich schlage vor, dass wir nach Kiel fahren.

☺ ....   ☹ ....

- Fahren wir mit dem Zug?

☺ ....   ☹ ....

2 Kontrollieren Sie mit den Lösungen und markieren Sie ✔ für *kann ich* und ✖ *für kann ich nicht so gut.*

Lesen

Teil 5 **Lesen Sie den Text und schließen Sie die Lücken 1-6. Welche Lösung (A, B oder C) passt am besten?**

Alfred Mecker
Situlistr. 11
80939 München

Reisebüro Antes
Karlstraße 71
80333 München   München, den 20.03.2016

Urlaubreise nach Antalya/Türkei vom 12.03.–19.03.2016

Sehr geehrte Damen und Herren,

___0___ März habe ich bei Ihnen eine Urlaubsreise ___1___ Antalya gebucht. Ich bin gestern aus dem Urlaub zurückgekommen und leider nicht zufrieden. In ___2___ Katalog haben Sie geschrieben, dass das Hotel sehr ruhig ___3___, aber das ist falsch. Nachts war es ___4___ laut, denn neben dem Hotel ist eine Diskothek. Wir ___5___ nicht schlafen.
Auf dem Hinflug hatten wir auch noch sieben Stunden Verspätung ___6___ auf dem Rückflug waren es fünf Stunden. Den nächsten Urlaub buchen wir nicht wieder bei Ihnen.

Mit freundlichen Grüßen

Alfred Mecker

0	A	☐ um	2	A	☐ Ihrem	4	A	☐ nicht	6	A	☐ weil
	B	☒ im		B	☐ deinem		B	☐ sehr		B	☐ ob
	C	☐ am		C	☐ ihrem		C	☐ mehr		C	☐ und
1	A	☐ nach	3	A	☐ sein	5	A	☐ können			
	B	☐ zu		B	☐ sind		B	☐ konnten			
	C	☐ aus		C	☐ ist		C	☐ kann			

Schreiben

Wählen Sie Aufgabe A oder Aufgabe B. Zeigen Sie, was Sie können. Schreiben Sie möglichst viel.

Aufgabe A

Sie wollen Ihre Wohnung streichen. Ihr Freund Martin soll Ihnen helfen. Schreiben Sie Ihrem Freund einen Brief.

Schreiben Sie etwas zu folgenden Punkten:

- Grund für Ihren Brief
- Vorschlag für einen Termin
- Welche Zimmer?

Aufgabe B

Sie wollen mit einem Kollegen / einer Kollegin zusammen Deutsch lernen. Schreiben Sie ihm / ihr eine kurze Nachricht.

Schreiben Sie etwas zu folgenden Punkten:

- Grund für Ihre Nachricht
- Vorschlag für einen Termin
- Vorschlag für einen Treffpunkt

Lesen Sie Ihren Brief / Ihre Nachricht noch einmal und achten Sie auf folgende Punkte:

CHECKLISTE

- ☐ Haben Sie alle 3 Punkte behandelt?
- ☐ Haben Sie das Datum ergänzt?
- ☐ Ist die Anrede korrekt?
- ☐ Haben Sie eine Grußformel ergänzt?
- ☐ Haben Sie unterschrieben?
- ☐ Haben Sie die Anredeformen *Sie/Ihnen/Ihr* groß geschrieben?
- ☐ Haben Sie die Nomen groß geschrieben?
- ☐ Kontrollieren Sie die Artikel: *der, die, das*
- ☐ Kontrollieren Sie die Verbformen: *ich schreibe – Sie schreiben*
- ☐ Kontrollieren Sie die Satzzeichen: Zwischen Haupt- und Nebensatz steht ein Komma. Am Ende vom Satz steht ein Punkt.

12 Treffpunkte

1 Sehen Sie die Fotos an und ergänzen Sie die Sätze.

> schlecht • gut • einsam • ernst • wohl

1 Die Stimmung ist ....

2 Sie fühlt sich ....

3 Er sieht .... aus.

4 Die Stimmung ist ....

5 Sie fühlt sich ....

2 Auf dem Land und in der Stadt. Lesen Sie die Texte und kreuzen Sie an. Was ist richtig?

Ich wohne in einer Großstadt und ich habe viel Kontakt mit anderen Leuten. Meine Nachbarn kenne ich aber nicht so gut. Wir sagen nur „Guten Tag", wenn wir uns sehen. Meine Freunde sind Kollegen von der Arbeit und Freunde, die ich von früher kenne. Ich sehe sie leider nicht mehr so oft. Meine Frau und ich haben auch noch andere Eltern kennengelernt. Unsere Kinder gehen zusammen in den Kindergarten. Am Wochenende unternehmen wir manchmal etwas zusammen.

Wiktor Fromin

1 ☐ Wiktor Fromin wohnt in der Stadt.

2 ☐ Er hat viel Kontakt mit seinen Nachbarn.

3 ☐ Er unternimmt oft etwas mit Arbeitskollegen.

4 ☐ Er hat keine Kinder.

Ich bin vor zwei Jahren von Köln in ein Dorf umgezogen. Es ist schön hier, aber es gibt auch ein Problem: Die anderen kennen sich gut. Sie sind schon als Kinder zusammen in die Schule gegangen und sie unternehmen viel gemeinsam. Ich weiß noch nicht, wie ich sie kennenlernen kann. Im Moment habe ich nur Kontakt zu Leuten, die auch neu hier sind. Das ist schade.

Mauricio Schwarze

1 ☐ Mauricio Schwarze wohnt auf dem Land.

2 ☐ Er ist früher in dem Dorf zur Schule gegangen.

3 ☐ Er hat auf dem Land keine Kontakte.

4 ☐ Er will gerne Leute kennenlernen, die schon länger im Dorf wohnen.

A   Ehrenamtlich arbeiten

3a   Im Nachbarschaftshaus. Was passt? Ordnen Sie zu.

das Nachbarschaftshaus:

1 Kurse		**A**	organisieren
2 Hausaufgabenhilfe		**B**	arbeiten
3 bei Problemen		**C**	helfen
4 interkulturell		**D**	anbieten

die Besucher:

1 sich sozial		**A**	lassen
2 Sport		**B**	kommen
3 zu den Veranstaltungen		**C**	engagieren
4 sich beraten		**D**	kennenlernen
5 Leute		**E**	machen

3b   Schreiben Sie Sätze mit den Wörtern aus 3a in Ihr Heft.

4   Kreuzworträtsel. Lesen Sie die Sätze und ergänzen Sie die Wörter im Rätsel.

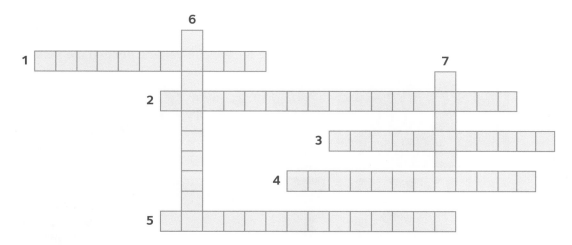

1   Wenn eine Person körperliche Probleme hat, sie z. B. nicht laufen kann, hat sie eine …
2   Schüler können nachmittags im Nachbarschaftshaus für die Schule lernen. Sie gehen zur …
3   Personen zwischen 14 und 18 Jahren sind …
4   In einer …. treffen sich Frauen und reden miteinander.
5   Ich habe ein Problem mit dem Vermieter und gehe zur …
6   Personen, die älter als 18 Jahre sind, sind …
7   Personen unter 14 Jahren sind …

5 Familie Schreiner. Ergänzen Sie die Verben in der richtigen Form.

> wollen • besuchen • ~~gehen~~ • bekommen •
> brauchen • treffen • teilnehmen • anbieten

Magda Schreiner ist 71 Jahre alt, sie _geht_ gern zum Nachbarschaftshaus.

Sie _____ immer mittwochs am Seniorentreff _____. Sie hat viele

Informationen über die Kurse im Nachbarschaftshaus _____ und das Haus

_____ ihr oft Hilfe _____. Manchmal _____ sie Hilfe mit

Formularen, weil sie nicht alles versteht. Dann geht sie zur Formularhilfe. Ihre Tochter

Tatjana geht zur Internationalen Frauengruppe im Nachbarschaftshaus. Die Gruppe

_____ sich immer am Dienstagabend. Tatjanas Mann Igor kommt aus Russ-

land, er lebt erst seit drei Monaten in Deutschland. Er lernt Deutsch und

_____ einen Deutschkurs. Wenn Igor besser Deutsch kann, _____

er gern in die Theatergruppe gehen. In Russland hat er auch Theater gespielt.

B Vereine

6a Hören Sie die Interviews und kreuzen Sie an. Welche Vereine nennen die Personen?
(2.32)

6b Hören Sie noch einmal und kreuzen Sie an: Richtig oder falsch?
(2.32)

		R	F
1	Der Verein von Herrn Meier trifft sich nur im Januar und Februar.	☐	☐
2	In seinem Verein gibt es nur Tanzgruppen für Kinder.	☐	☐
3	Das große Karnevalsfest ist im Februar.	☐	☐
4	Frau Kandinsky kennt alle Vereinsmitglieder.	☐	☐
5	Frau Kandinsky macht Sport, damit sie keine Rückenschmerzen hat.	☐	☐
6	An der Gruppe von Frau Kandinsky nehmen Männer und Frauen teil.	☐	☐

7a Wiederholung: Zahlen. Ergänzen Sie und lesen Sie dann laut.

> hunderttausend • zehn • eine Million • eintausend • hundert Millionen •
> zehntausend • zehn Millionen • eine Milliarde • einhundert

1 10 ....   **4** 10 000 ....   **7** 10 000 000 ....

2 100 ....   **5** 100 000 ....   **8** 100 000 000 ....

3 1 000 ....   **6** 1 000 000 ....   **9** 1 000 000 000 ....

🔊 2.33   **7b** Welche Zahl hören Sie? Hören Sie das Interview und kreuzen Sie an.

1 Deutschland hat ungefähr ☐ 82 000 000 ☐ 28 000 000 Einwohner.

2 Berlin hat mehr als ☐ 3 400 000 ☐ 2 400 000 Einwohner.

3 2014 haben ungefähr ☐ 1 190 000 ☐ 11 900 000 Touristen in Berliner Hotels übernachtet.

4 Es gibt ☐ 250 000 ☐ 25 000 Fußballvereine in Deutschland.

5 Die Fußballvereine in Deutschland haben ungefähr ☐ 690 000 ☐ 6 900 000 Mitglieder.

6 Mehr als ☐ 100 000 ☐ 1 000 000 Frauen sind Mitglied in einem Fußballverein.

8a Wiederholung: Relativsätze. Ergänzen Sie die Relativpronomen.

1 Menschen, ... sich in sozialen Vereinen engagieren, helfen anderen Menschen in schwierigen Situationen.

2 In Deutschland gibt es viele Vereine, ... sehr aktiv sind.

3 In vielen Vereinen muss man einen Mitgliedsbeitrag zahlen, ... häufig nicht sehr hoch ist.

4 Die Vereinsmitglieder organisieren ein Fest, ... auch die Leute aus der Nachbarschaft besuchen können.

8b Verbinden Sie die Sätze.

1 Ulyana ist eine Schülerin. Sie hilft Frau Bauer.

Ulyana ist eine Schülerin, die ....

2 „Jugend aktiv" ist ein Projekt. Das Nachbarschaftshaus bietet das Projekt an.

....

3 Der FC Bayern München ist ein Fußballverein. Viele Leute kennen den Verein.

....

4 Der Verein bietet Beratungen an. Die Beratungen sind für viele Menschen wichtig.

....

5 Das Nachbarschaftshaus bietet viele Projekte an. Die Projekte sind ein Treffpunkt für die Nachbarn.

....

9 Ergänzen Sie die Relativpronomen mit den Präpositionen.

> mit dem • in dem • für die • ohne das • zu dem

1 Das ist mein Freund Tim, ... ich zusammen im Fußballverein bin.

2 Das Handballspiel, ... wir gehen wollten, fällt leider aus.

3 Ich möchte in einen Verein gehen, ... ich Musik machen kann.

4 Karneval ist ein Fest, ... der Winter für mich langweilig ist.

5 Der Freundschaftsverein organisiert Veranstaltungen, ... ich mich interessiere.

10a Was passt zusammen? Ordnen Sie zu.

1 Die alte Frau ist meine Nachbarin,   **A** mit der ich in den Urlaub fahre.

2 Das ist meine Freundin,   **B** für die ich manchmal einkaufe.

3 Das ist der Bus,   **C** auf dem wir jeden Samstag einkaufen.

4 Das ist der Markt,   **D** von denen ich viel gelernt habe.

5 Das ist die Schule,   **E** in der ich Abitur gemacht habe.

6 Das sind die Lehrer,   **F** mit dem ich zur Arbeit fahre.

10b Schreiben Sie die Sätze aus 10a wie im Beispiel in Ihr Heft.

> *1. Die alte Frau ist meine Nachbarin. Ich kaufe für die Nachbarin manchmal ein.*

11 Mariam erzählt. Relativsätze mit Präpositionen. Schreiben Sie die Sätze wie im Beispiel.

1 Die Firma Richter, für die ich arbeite, ist in Offenbach.

Ich arbeite für die Firma Richter. Die Firma ist in Offenbach.

2 Meine Kollegen, mit denen ich gut zusammen arbeite, sind alle sehr nett.

....

3 Die Kantine, in der ich zu Mittag esse, hat auch eine Terrasse.

....

4 Der Termin, zu dem auch meine Kollegen aus Hamburg kommen, findet am Freitag statt.

....

5 Der Zug, mit dem ich jeden Morgen zur Arbeit fahre, hat selten Verspätung.

....

6 Der Tanzkurs, an dem ich teilnehme, fällt morgen aus.

....

12 Mitglied in einem Verein sein. Lesen Sie den Text und ergänzen Sie die Sätze.

Heide Jordan

Ich bin seit 15 Jahren Mitglied im Basketballverein.
Ich habe mit 13 angefangen, denn meine Freundin
Anna wollte Basketball spielen. Ich habe dann auch
sehr gern gespielt und ich war viele Jahre im Verein
sehr aktiv. Jetzt habe ich leider nicht mehr so viel
Zeit. Ich habe einen Sohn und ich arbeite wieder. Meine freie Zeit
will ich mit meiner Familie verbringen. Aber ich bleibe Mitglied im Verein,
denn ich habe da viele Freunde. Natürlich nehme ich immer an den Vereins-
festen teil und ich organisiere sie auch zusammen mit den anderen.

1 Heide Jordan ist als Jugendliche Mitglied im Basketballverein geworden, weil

....

2 Sie ist jetzt nicht mehr so aktiv, weil ....

3 Sie bleibt im Verein, weil ....

13 Was ist…? Ergänzen Sie die Relativsätze.

1 Was ist ein Sportverein? Man macht Sport in dem Verein.

Ein Sportverein ist ein Verein, *in dem man Sport macht* ....

2 Was ist ein Theaterverein? Man spielt Theater in dem Verein.

Ein Theaterverein ist ein Verein, ...

3 Was ist ein Vereinsfest? Der Verein organisiert das Fest.

Ein Vereinsfest ist ein Fest, ...

4 Was ist „Jugend hilft"? Junge Leute können sich in dem Projekt engagieren.

„Jugend hilft" ist ein Projekt, ...

5 Was ist eine ehrenamtliche Arbeit? Man bekommt kein Geld für die Arbeit.

Eine ehrenamtliche Arbeit ist eine Arbeit, ...

6 Was ist der Singkreis? Die Leute aus der Nachbarschaft singen zusammen in der Gruppe.

Der Singkreis ist eine Gruppe, ...

14 Sind Sie Mitglied in einem Verein? Möchten Sie Mitglied werden? Schreiben Sie fünf
Sätze über sich oder Ihre Familie in Ihr Heft.

C   Telefonieren

15 **Telefonanrufe. Ergänzen Sie die Dialoge.**

> belegt • verwählt • Durchwahl • Ursache • falsch verbunden • verbinden

1 • Guten Tag, mein Name ist Strotmann. Können Sie mich mit Frau Spies ....?

  • Tut mir leid, Frau Spies kommt heute erst um 13.00 Uhr.

  • Könnten Sie mir bitte die .... von Frau Spies geben?

2 • Ist da nicht das Bürgeramt?

  • Nein, hier ist das Standesamt. Sie sind ....

  • Entschuldigen Sie bitte die Störung, dann habe ich mich ....

  • Keine ....

3 • Alle Plätze sind zurzeit .... Bitte legen Sie nicht auf.

  • Oh, nein.

2.34 **16** **Textkaraoke. Hören, lesen und sprechen Sie die 👄-Rolle im Dialog.**

👂 …

👄 Guten Tag, mein Name ist… Können Sie mir sagen, was ein Stand auf dem Straßenfest kostet?

👂 …

👄 Können Sie mich bitte verbinden?

👄 Wie ist die Durchwahl?

👂 …

👄 255, vielen Dank, auf Wiederhören.

👂 …

17 **Schreibtraining. Vereine. Welche Wörter schreibt man groß? Ergänzen Sie die Satzzeichen. Schreiben Sie den Text richtig in Ihr Heft.**

> , , , , . . .

Fehler +++ Fehler +++ Fehler

in deutschland gibt es viele hunderttausend vereine in denen viele millionen menschen aktiv sind man findet sportvereine oder kulturvereine aber auch soziale vereine die menschen in schwierigen situationen helfen wenn man zum beispiel fußball spielen möchte kann man sich in einem fußballverein anmelden dann bezahlt man einen mitgliedsbeitrag und kann am vereinsleben teilnehmen

18a Lesen Sie den Text und ergänzen Sie die Beitrittserklärung.

Elias Verne spielt Trompete und möchte gern mit anderen zusammen spielen. Er möchte Mitglied im Musikverein werden. Er kommt aus Frankreich und spricht noch nicht so gut Deutsch. Elias Verne ist am 23. Mai 1984 geboren. Er wohnt in 72458 Albstadt, in der Hauptstraße 14. Er hat ein Konto bei der Volksbank Albstadt. Die IBAN ist DE18 6539 0120 0000 0027 und der BIC ist GENODES1EBI.

Beitrittserklärung

☐ Ja, ich werde Mitglied im Musikverein Albstadt 1980 e.V.

Name: ....

Geburtsdatum: ....

Straße: ....

PLZ, Ort: ....

☐ aktives Mitglied, Instrument: ....
☐ passives Mitglied

Kündigung ist ohne Kündigungsfrist zum jeweiligen Kalenderjahresende möglich.

Der Jahresbeitrag beträgt derzeit 30,00 Euro pro Kalenderjahr.

Einzugsermächtigung:
Mit dem Lastschrifteinzug des Jahresbeitrags bin ich einverstanden.

Bank: ....

IBAN: ....

BIC: ....

Datum, Unterschrift: *3.4.2016, Elias Verne* ....

18b Lesen Sie die Beitrittserklärung noch einmal und beantworten Sie die Fragen.

1 Wie viel muss Herr Verne pro Monat bezahlen?
2 Ist Herr Verne aktives oder passives Mitglied?
3 Wenn Herr Verne heute kündigt, wann endet der Vertrag?

18c Was ist eine Einzugsermächtigung? Kreuzen Sie an.

A ☐ Die Bank bekommt von mir den Auftrag, dass sie das Geld an den Empfänger, zum Beispiel den Musikverein, überweist.
B ☐ Ich erlaube dem Empfänger, zum Beispiel dem Musikverein, dass er sich das Geld von meinem Konto holt.

lachen ....

lächeln ....

Sport treiben ....

ernst ....

A Ehrenamtlich arbeiten

ehrenamtlich ....

freiwillig ....

sich engagieren ....

das Nachbarschaftshaus, "-er ....

der Verein, -e ....

gemeinnützig ....

lebendig ....

der/die Bewohner/in, -/-nen ....

der Stadtteil, -e ....

der/die Jugendliche, -n ....

der/die Erwachsene, -n ....

vielfältig ....

die Veranstaltung, -en ....

die Begegnung, -en ....

der Austausch, Sg. ....

sozial ....

die Hausaufgabenhilfe, -n ....

die Theatergruppe, -n ....

die Rechtsberatung, Sg. ....

die Frauengruppe, -n ....

die Lohnsteuerhilfe, Sg. ....

die Behinderung, -en ....

die Jugend, Sg. ....

der/die Rentner/in, -/-nen ....

B Vereine

der Turnverein, -e ....

der Fußballverein, -e ....

der Kleingartenverein, -e ....

das Vereinsleben, Sg. ....

der Sportverein, -e ....

der Freundschaftsverein, -e ....

das Mitglied, -er ....

der Mitgliedsbeitrag, "-e ....

sich ein}setzen für ....

die Gerechtigkeit, Sg. ....

die Solidarität, Sg. ....

die Beratung, -en ....

C Telefonieren

der/die Anrufer/in, -/-nen ....

die Telefonzentrale, -n ....

verbinden ....

falsch verbunden ....

die Durchwahl, -en ....

etwas aus}richten ....

eine Nachricht hinterlassen ....

zurück}rufen ....

sich verwählen ....

zurzeit ....

belegt ....

auf}legen ....

die Störung, -en ....

Keine Ursache! ....

zuständig sein ....

der Stand, "-e ....

die Autoanmeldung, -en	....	die Strafe, -n	....
das Gewerbeamt, "-er	....	die Abrechnung, -en	....
die Stadtverwaltung, -en	....	aus{ziehen	....
der Verkehrsverbund, "-e	....		
die Stadtwerke, Pl.	....		
die Monatskarte, -n	....		

1a Was passt zusammen? Ordnen Sie zu.

1 eine Strafe   A entschuldigen
2 die Durchwahl   B geben
3 die Störung   C werden
4 Mitglied   D organisieren
5 eine Veranstaltung   E bezahlen

1b Lesen Sie die Kombinationen laut. Schreiben Sie dann Sätze mit den Wörtern.

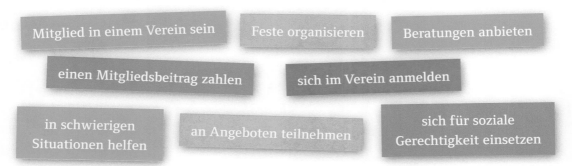

Mitglied in einem Verein sein   Feste organisieren   Beratungen anbieten

einen Mitgliedsbeitrag zahlen   sich im Verein anmelden

in schwierigen Situationen helfen   an Angeboten teilnehmen   sich für soziale Gerechtigkeit einsetzen

2 Was ist das? Ergänzen Sie die Sätze.

> Mit • Haus • Te • glieds • auf • tra • le •
> ga • ben • hil • bei • fon • zen • trag • le • fe

1 Das muss man bezahlen, wenn man in einem Verein ist: der _Mitgliedsbeitrag_ .

2 Wenn Kinder in der Schule etwas nicht verstanden haben, können sie zur .... gehen.

3 Wenn man bei einer Behörde anruft, dann kommt man meistens zur ....

🔊 2.35 **3** Wörter hören und nachsprechen. Hören Sie zu und sprechen Sie nach.

1 organisieren – sich engagieren – sich beraten lassen
2 der Verein – die Veranstaltung – das Mitglied – der Mitgliedsbeitrag
3 freiwillig – ehrenamtlich – unterschiedlich
4 die Autoanmeldung - das Gewerbeamt - die Stadtverwaltung

1. _____

2. der **Radsportverein**

3. der **Taubenzüchterverein**

4. der **Wanderverein**

5. _____

6. der **Ruderverein**

7. der **Segelverein**

8. der **Eisenbahnverein**

9. der **Lesekreis**

4 Ordnen Sie die Wörter den Fotos zu.

> der Fußballverein • der Gesangsverein • der Karnevalsverein •
> der Kleingartenverein • der Turnverein

5 Hören Sie die Wörter und sprechen Sie nach.

2.36

6 Welcher Verein passt zu den Personen? Ordnen Sie zu.

1 ☐ Frau Ganbold interessiert sich für Malerei und Kunst.
2 ☐ Familie Oniashvili ist gerne im Grünen und sie essen gerne frisches Gemüse.
3 ☐ Herr Kryst fährt viel Fahrrad und will gerne an einem Radrennen teilnehmen.
4 ☐ Frau Teneggi ist in ihrer Freizeit gerne in den Bergen.
5 ☐ Herr Lauritzen interessiert sich für alte Dampflokomotiven.
6 ☐ Frau Moro möchte sich gerne für Tiere engagieren, die keinen Besitzer haben.
7 ☐ Frau Rajna liest gerne und interessiert sich für klassische Literatur.

der Hundezüchterverein

der Kunstverein

der soziale Verein

der Schachclub

der Angelverein

der Tierschutzverein

---

7 Was macht man in den Vereinen? Ordnen Sie die Tätigkeiten zu und schreiben Sie Sätze.

> Schach spielen • gemeinsam singen • zusammen Gymnastik machen •
> Kunst ansehen • wandern gehen • Fußball spielen • gemeinsam trainieren •
> segeln gehen • zusammen lesen • über Literatur reden • Tauben züchten •
> Menschen in schwierigen Situationen helfen • Tieren helfen • die Umwelt schützen •
> im eigenen Garten arbeiten • zusammen rudern • angeln •
> sich verkleiden • zusammen feiern • malen • …

8 In welchem Verein würden Sie gerne Mitglied sein? Berichten Sie im Kurs.

> Ich würde gern Mitglied im Schachclub sein, weil ich gern Schach spiele.

> Ich würde gern Mitglied im Fußballverein sein. Ich möchte gern mehr Sport machen.

13 Banken und Versicherungen

1 **Wiederholung: Wichtige Wörter zum Thema Bank. Ergänzen Sie die Wörter.**

1 Der K _ nt _ _ _ sz _ g zeigt, wieviel Geld man auf dem K _ nt _ hat.

2 Ist hier ein G _ ld _ _ t _ m _ t in der Nähe? Ich brauche 200 Euro.

3 Ich will Geld an den Handballverein _ b _ rw _ _ s _ n, aber ich habe keine
B _ nkv _ rb _ nd _ ng.

2a **Was passt? Ergänzen Sie die passenden Verben.**

~~einzahlen~~ • machen • eröffnen • anlegen • wechseln • holen • beantragen • überweisen • machen • abheben

1 eine Überweisung ....

2 ein Konto ....

3 Kontoauszüge ....

4 einen Kredit ....

5 eine Online-Überweisung ....

6 Geld *einzahlen* , ... , ... , ... , ...

2b **Lesen Sie die Sätze und ergänzen Sie Verben aus 2a.**

1 Sara .... Geld am Schalter .... , weil der Geldautomat kaputt ist.

2 Sie kann jeden Monat 300 Euro an ihre Mutter .... , weil sie gut verdient.

3 Wartest du kurz auf mich? Ich .... noch schnell die Kontoauszüge
am Geldautomaten.

4 Guten Tag, ich möchte bei Ihrer Bank gerne ein Konto ....

5 Wir wollen ein Haus bauen und .... jetzt einen Kredit bei der Bank.

3 **Wiederholung: Perfekt. Ergänzen Sie das Partizip.**

● Joel, warst du bei der Bank und hast du das Geld für Tina ....?
(überweisen)

● Das konnte ich nicht machen. Wir haben nicht genug Geld auf dem Konto.

● Aber hast du nicht vor drei Tagen 500 € ....? (einzahlen)

● Doch, aber ich habe gestern wieder 150 € .... Ich musste die
Autoreparatur bezahlen. (abheben)

● Ach ja, das habe ich .... (vergessen)

A Auf der Bank

4a 2.37 **Was möchte Frau Koch machen? Hören Sie den Dialog und kreuzen Sie an.**

1 ☐ sich über Bankgebühren informieren   2 ☐ ein Konto eröffnen

4b 2.37 **Hören Sie noch einmal und kreuzen Sie an: Richtig oder falsch?**

		R	F
1	Frau Koch möchte für Freunde ein Privatkonto eröffnen.	☐	☐
2	Ihre Freunde brauchen das Konto für ihr Gehalt.	☐	☐
3	Das Konto *Giro extra* ist kostenlos.	☐	☐
4	Frau Koch eröffnet das Konto sofort.	☐	☐

5a 2.38 **Ein Gespräch auf der Bank. Ergänzen Sie den Dialog und kontrollieren Sie mit der CD.**

> Vielen Dank für Ihre Hilfe. • In Ordnung. Muss mein Mann mitkommen,
> wenn ich das Formular wieder abgebe? • Guten Tag, ich habe bei Ihnen ein Girokonto
> und mein Mann braucht jetzt auch eine EC-Karte für das Konto. •
> Moment… das ist die DE 07 50010060 025443306.

• Was kann ich für Sie tun?

👄 ....

....

• Wie ist Ihre IBAN?

👄 ....

....

• Vielen Dank. Bitte füllen Sie dieses Formular aus. Ihr Mann und Sie müssen beide
unterschreiben.

👄 ....

....

• Nein, das muss nicht sein. Wenn Sie das Formular abgegeben haben, dauert es 10 bis
14 Tage.

👄 ....

....

5b 2.38 **Hören, lesen und sprechen Sie die 👄-Rolle im Dialog.**

6a Wiederholung: Verben mit Präpositionen. Welche Präposition ist richtig? Markieren Sie.

1	sich ärgern	von	(über)	mit
2	sich bewerben	um	an	zu
3	denken	über	mit	an
4	sich interessieren	für	bei	an
5	sprechen	über	zu	für
6	warten	an	auf	zu
7	sich freuen	auf	an	um
8	teilnehmen	für	zu	an
9	träumen	an	für	von
10	sich informieren	über	auf	an

6b Die neue Wohnung. Lesen Sie den Text und ergänzen Sie die Präpositionen.

Anita und Markus interessieren sich .... einen Kredit, denn sie wollen eine Wohnung kaufen. Am

Montag haben sie mit dem Bankberater .... den

Kredit gesprochen. Jetzt warten sie .... den Bescheid, ob sie den Kredit bekommen. Wenn Sie den

Kredit nicht bekommen, dann ärgern sie sich .... den Bankberater. Aber wenn

sie den Kredit bekommen, dann freuen sie sich .... die neue Wohnung.

7a Fragewörter bei Verben mit Präpositionen. Lesen Sie die Antworten und unterstreichen Sie die Person in <u>Schwarz</u> und die Sache in <u>Rot.</u>

1 Ich freue mich *auf meinen Geburtstag*.
2 Sie wartet *auf ihren Freund*.
3 Er wartet *auf den Bus*.
4 Sie sprechen *mit dem Bankberater*.
5 Er nimmt *an einem Deutschkurs* teil.
6 Viele Menschen engagieren sich *für soziale Vereine*.
7 Dieses Buch ist interessant *für den Deutschkurs*.
8 Ich habe mich sehr *über meinen Chef* geärgert.
9 Ich habe heute Nacht *von dir* geträumt.
10 Er träumt *von einem schönen Urlaub*.
11 Sie denkt *an ihre Arbeit*.
12 Sie interessiert sich *für klassische Musik*.

7b Schreiben Sie Fragen zu den Sätzen aus 7a in Ihr Heft.

1 Worauf freust du dich?

2 Auf wen wartet sie?

8   Fragen über Samir. Schreiben Sie Antworten zu den Fragen in Ihr Heft.

> die Geburtstagsparty • das Auto • seine Familie • das Wochenende • seine Kollegen

1   Mit wem fährt Samir zur Arbeit?
2   Womit fährt er zur Arbeit?
3   Für wen kauft er im Supermarkt ein?
4   Wofür kauft Samir im Supermarkt ein?
5   Wozu lädt er seine Freunde ein?

> *1 Er fährt mit ...*

Samir, 36 Jahre

B   Versicherungen

9   Welche Versicherung hilft? Ordnen Sie zu.

A Rechtsschutzversicherung   **C** Hausratversicherung
B Krankenversicherung   **D** Haftpflichtversicherung

1 ☐ Herr Schwabe hat starke Zahnschmerzen. Er geht zum Zahnarzt.
2 ☐ Ich habe Probleme mit meinem Vermieter und brauche einen Rechtsanwalt.
3 ☐ Frau Oniashvili hat eine teure Lampe von ihrer Nachbarin kaputt gemacht.
4 ☐ Aus der Waschmaschine von Familie Müller ist Wasser in die Wohnung gelaufen. Jetzt sind viele Möbel kaputt.

◀)) 2.39   **10a**   Anruf bei der Versicherung. Ordnen Sie den Dialog. Kontrollieren Sie dann mit der CD.

- 1 Guten Tag, Hamburger Versicherung, Neumaier, was kann ich für Sie tun?
- ☐ Vielen Dank, die Sache erledigt unsere Schadensabteilung für Sie. Wenn wir noch Fragen haben, rufen wir Sie an.
- ☐ Wie ist Ihre Versicherungsnummer?
- ☐ Können Sie mir auch den Namen, die Adresse und die Telefonnummer von Ihrem Nachbarn sagen?
- ☐ Und das Auto von Ihrem Nachbarn hat jetzt einen Schaden?

- ☐ Das ist die 0749876.
- ☐ Vielen Dank, auf Wiederhören.
- ☐ Er heißt Timo Berg und wohnt in der Arndtstraße 40 in 44135 Dortmund, die Telefonnummer ist 0231 4711 665.
- 2 Ich möchte eine Schadensmeldung machen. Ich bin mit meinem Auto gegen das Auto von meinem Nachbarn gefahren.
- ☐ Ja, vorne an der Autotür rechts.

10b   Suchen Sie im Dialog in 10a Komposita. Welche Wörter finden Sie? Schreiben Sie sie wie im Beispiel in Ihr Heft.

> *die Schadensmeldung = der Schaden + die Meldung*

11a Komposita. Was ist das? Schreiben Sie wie im Beispiel.

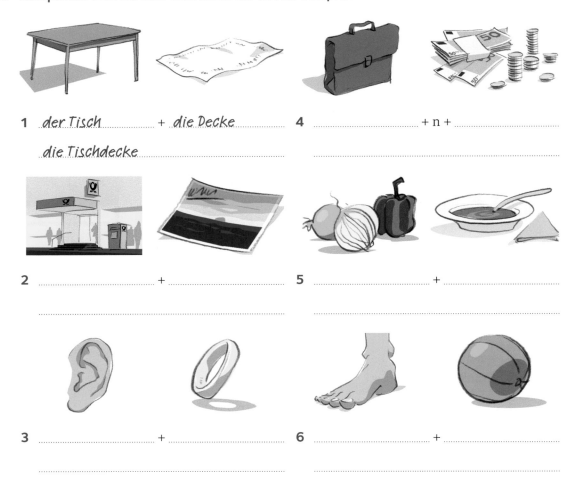

1 *der Tisch* + *die Decke*   4 _____ + n + _____

   die Tischdecke

2 _____ + _____   5 _____ + _____

_____

3 _____ + _____   6 _____ + _____

_____

11b Wiederholung: Relativsätze. Was bedeuten die Wörter aus 11a? Schreiben Sie Relativsätze wie im Beispiel in Ihr Heft.

> Man schreibt die Karte oft aus dem Urlaub. • Man trägt den Ring am Ohr. •
> ~~Man legt die Decke auf den Tisch.~~ • Kinder bekommen das Geld von ihren Eltern. •
> Man spielt mit dem Ball Fußball. • Man kocht die Suppe aus Gemüse.

> *Eine Tischdecke ist eine Decke, die man auf den Tisch legt.*

12 Ordnen Sie zu und schreiben Sie Relativsätze wie in 11b.

1 das Skigebiet   A An dem Ort arbeiten viele Ärzte.
2 die Autowerkstatt   B Mit dieser Person arbeitet man zusammen.
3 das Ärztehaus   C In dem Zimmer arbeitet man.
4 das Arbeitszimmer   D In dem Gebiet kann man Ski fahren.
5 der Tanzkurs   E In dem Kurs lernt man tanzen.
6 das Adressbuch   F An dem Ort lässt man sein Auto reparieren.
7 die Arbeitskollegin   G In dem Buch stehen viele Adressen.

C Kaufen und reklamieren

13 Lesen Sie den Prospekt. Beschreiben Sie die Vorteile und Nachteile von den Kaffee-
maschinen. Ergänzen Sie die Sätze.

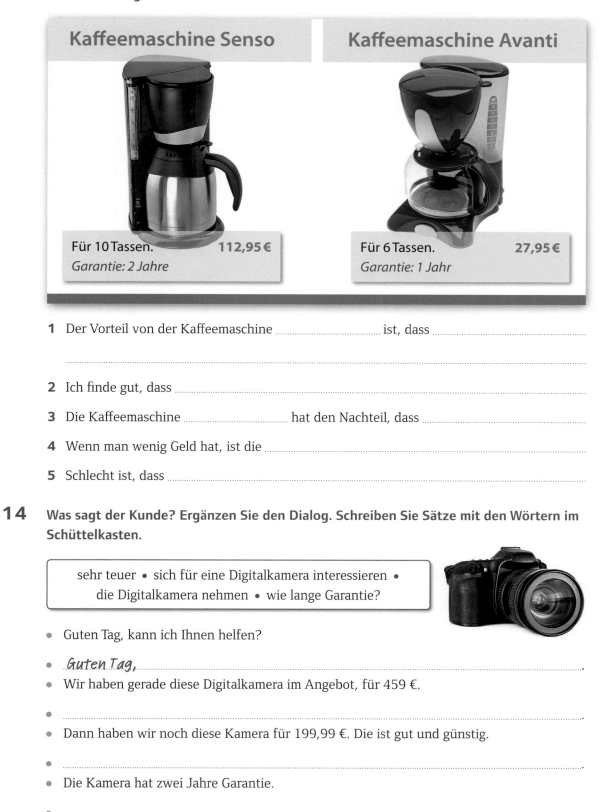

Kaffeemaschine Senso	Kaffeemaschine Avanti
Für 10 Tassen. 112,95 € *Garantie: 2 Jahre*	Für 6 Tassen. 27,95 € *Garantie: 1 Jahr*

1 Der Vorteil von der Kaffeemaschine .... ist, dass ....

....

2 Ich finde gut, dass ....

3 Die Kaffeemaschine .... hat den Nachteil, dass ....

4 Wenn man wenig Geld hat, ist die ....

5 Schlecht ist, dass ....

14 Was sagt der Kunde? Ergänzen Sie den Dialog. Schreiben Sie Sätze mit den Wörtern im
Schüttelkasten.

> sehr teuer • sich für eine Digitalkamera interessieren •
> die Digitalkamera nehmen • wie lange Garantie?

- Guten Tag, kann ich Ihnen helfen?

- *Guten Tag,* ....
- Wir haben gerade diese Digitalkamera im Angebot, für 459 €.

- ....
- Dann haben wir noch diese Kamera für 199,99 €. Die ist gut und günstig.

- ....
- Die Kamera hat zwei Jahre Garantie.

- ....

15 Reklamation. Lesen Sie den Brief und beantworten Sie die Fragen.

Krüger KG   19.06.2016
Parkstraße 11
89073 Ulm

Frage zur Reparatur der Digitalkamera *DMC*

Sehr geehrte Damen und Herren,

ich habe die Digitalkamera *DMC* von Ihrer Firma am 02.02.2015 im
Kaufhaus Kraus gekauft.
Ich war mit der Kamera immer sehr zufrieden und habe sie vorsichtig
behandelt. Seit einigen Tagen funktioniert sie nicht mehr richtig, sie
speichert keine Fotos mehr. Die Kamera hat noch acht Monate Garantie
und ich schicke Sie Ihnen, damit Sie sie reparieren. Die Quittung und
den Garantieschein schicke ich als Kopie mit.
Können Sie mir bitte schreiben, wie lange die Reparatur dauert und ob
die Reparatur kostenlos ist?

Mit freundlichen Grüßen
Karl Schneider

1 Welches Problem gibt es mit der Kamera?
2 Wie lange hat die Kamera noch Garantie?
3 Welche Kopien schickt Herr Schneider an die Firma Krüger?
4 Was möchte Herr Schneider von der Firma wissen?

16a Schreibtraining. Bringen Sie den Brief in die richtige Reihenfolge.

☑ Sehr geehrte Damen und Herren,
☐ reparieren oder eine neue Mikrowelle
☐ funktioniert sie jetzt nicht mehr. Sie startet, aber
☐ schicken? Ich schicke Ihnen auch den
☐ vor sechs Monaten habe ich bei Ihnen die
☐ das Essen wird nicht mehr heiß. Können Sie die
   Mikrowelle bitte

☐ Mit freundlichen Grüßen
☐ Jochen Schott
☐ Mikrowelle *Panason X3*
   gekauft. Leider
☐ Garantieschein und die
   Quittung als Kopie mit.

16b Schreiben Sie einen Reklamationsbrief in Ihr Heft.

Rasierapparat *Super* • vor vier Monaten gekauft •
funktioniert nicht mehr • Bitte um Reparatur

*Sehr geehrte Damen
und Herren,*

17a Elektronische Geräte. Lesen Sie die Texte und ordnen Sie die Fotos zu. Zwei Fotos passen nicht.

Eure Erfahrungsberichte über elektronische Geräte ‹vorheriges Thema | nächstes Thema›

Andy
heute,
20.19

Ich habe diesen Fernseher vor vier Wochen gekauft und ich bin nicht zufrieden. Ich finde, dass die Tonqualität nicht gut ist. Die Bedienung ist aber einfach und praktisch. Ich kann das Gerät Leuten empfehlen, für die die Bildqualität wichtiger als der Ton ist.

👍 Diesen Erfahrungsbericht fanden **13** Mitglieder hilfreich.

SuMa
heute,
17.12

Die Maschine ist 84,7 cm x 60 cm x 59 cm groß und wiegt ca. 70 kg, das ist ziemlich schwer. Der Vorteil ist, dass die Bedienung kinderleicht ist. Man muss nur darauf achten, dass man die Maschine nicht zu voll macht. Besonders gut finde ich das Intensiv-Programm, denn so wird auch unsere Kinderkleidung wieder richtig sauber. Es gibt auch ein Programm für Bügelwäsche, damit kann man nach dem Waschen einfach bügeln. Ein großer Vorteil ist auch, dass sie nicht laut ist. Also, es ist wirklich eine sehr gute Maschine.

👍 Diesen Erfahrungsbericht fanden **63** Mitglieder hilfreich.

Aminata
heute,
11.07

Diese Espressomaschine passt in jede moderne Küche. Sie sieht sehr schick aus. Menschen, die gern und oft Kaffee trinken, kann ich diese Maschine nur empfehlen. Ich habe für die Maschine 249 Euro bezahlt. Der Kaffee ist sehr heiß und schmeckt fantastisch. Der Nachteil von der Maschine ist, dass sie nicht genug Schaum macht. Das ist schade.

👍 Diesen Erfahrungsbericht fanden **17** Mitglieder hilfreich.

17b Was sind die Vorteile und Nachteile von den Geräten? Lesen Sie noch einmal und markieren Sie die Vorteile in Grün und die Nachteile in Rot. Ergänzen Sie dann die Tabelle.

	Vorteile	Nachteile
Fernseher		
Waschmaschine		
Espressomaschine		

die Bank, -en

die Versicherung, -en

ein}zahlen

ab}heben

überweisen

wechseln

die Überweisung, -en

der Schalter, -

das Konto, Konten

eröffnen

an}legen

beantragen

die Online-Überweisung,-en

A Auf der Bank

die Kontogebühr, -en

die Zinsen, meistens Pl.

der Dauerauftrag, "- e

die EC-Karte, -en

die Geheimnummer, -n

das Girokonto, -konten

das Online-Banking, Sg.

der Bankberater, -

das Privatkonto, -konten

das Geschäftskonto, -konten

die PIN, -s

kostenlos

bargeldlos

die Zahlung, -en

B Versicherungen

die Rentenversicherung, -en

die Krankenversicherung, -en

die Kfz-Versicherung, -en

die Rechtsschutz-versicherung, -en

die Haftpflichtversicherung, -en

die Hausratversicherung, -en

kümmern (sich)

der Rechtsanwalt, "-e

überlegen (sich)

der Schaden, "-

ab}schließen

der Schutz

der Tarif, -e

der Gebrauchtwagen, -

C Kaufen und reklamieren

die Garantie, Sg.

der Vorteil, -e

der Nachteil, -e

die Reklamation, -en

reklamieren

der Staubsauger, -

der Rasierapparat, -e

der Garantieschein, -e

die Quittung, -en

reparieren

prüfen

1a Ordnen Sie zu und lesen Sie die Komposita laut.

1 der Bank	2 der Garantie	A anwalt	B versicherung
3 der Rechts	4 die Renten	C berater	D schein
5 der Dauer	6 das Geschäfts	E auftrag	F konto

1b Schreiben Sie mit den Komposita aus 1a Sätze wie im Beispiel.

1 Ich habe morgen einen Termin beim Bankberater.

2 Welches Verb passt? Markieren Sie.

1 ein Konto — abschließen – überweisen – machen – eröffnen
2 Geld — wechseln – bauen – verkaufen – eröffnen
3 die Geheimnummer — abheben – eröffnen – bekommen – verkaufen
4 eine Versicherung — überweisen – abheben – abschließen – reklamieren
5 die Quittung — kaufen – verkaufen – zeigen – reklamieren
6 einen Schaden — wechseln – reklamieren – eröffnen – abschließen
7 eine Überweisung — eröffnen – überweisen – abschließen – machen

3 Banken und Versicherungen. Sammeln Sie Wörter.

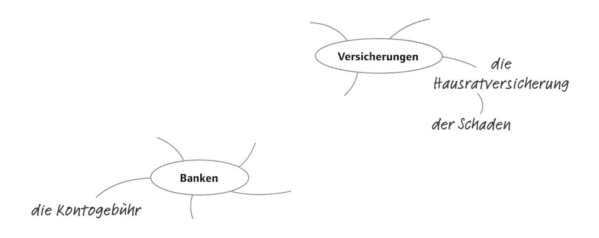

4 Wörter hören und nachsprechen. Hören Sie zu und sprechen Sie nach.

2.40

1 die Haftpflichtversicherung – die Hausratversicherung – die Rechtsschutzversicherung
2 der Neuwagen – der Gebrauchtwagen – der Kleinwagen – der Familienwagen
3 das Online-Banking – der Dauerauftrag – die Kontogebühren – das Girokonto

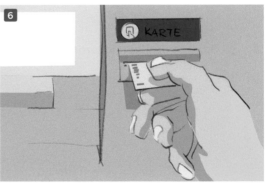

🔊 **5a** Wie hebt man Geld am Geldautomaten ab? Hören Sie den Dialog und ordnen Sie zu.
2.41

die Geheimzahl eingeben • den Betrag auswählen • die Karte entnehmen • die Karte in den Geldautomaten stecken • die Geheimzahl bestätigen • das Geld entnehmen

🔊 **5b** Hören Sie und sprechen Sie nach.
2.42

5c Erklären Sie, wie man Geld vom Geldautomaten abhebt.

Zuerst muss man …

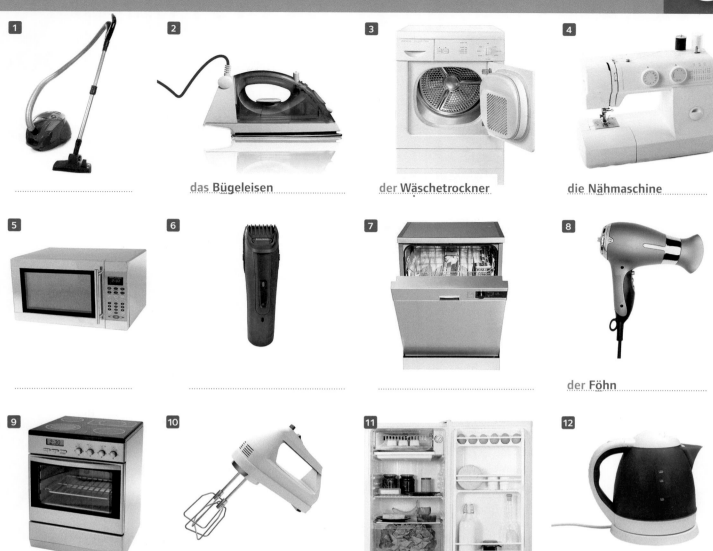

1

2
das Bügeleisen

3
der Wäschetrockner

4
die Nähmaschine

5

6

7

8
der Föhn

9

10
das Rührgerät

11

12
der Wasserkocher

6 Haushaltsgeräte. Ergänzen Sie die Wörter mit Artikel.

🔊 **7** Hören Sie die Wörter und sprechen Sie nach.
2.43

8 Wofür braucht man diese Geräte? Was macht man mit ihnen? Fragen und antworten Sie wie im Beispiel.

> Essen heiß machen • die Wäsche bügeln • die Wohnung / das Haus saugen •
> Kleidung nähen • Lebensmittel frisch halten • das Geschirr spülen •
> Essen kochen • Wäsche trocknen • Haare trocknen • verschiedene Lebensmittel
> mischen • Wasser heiß machen • sich rasieren

Wofür braucht man eine Mikrowelle?

Was macht man mit einem Staubsauger?

In einer Mikrowelle macht man Essen heiß.

1 Kreuzworträtsel. Ergänzen Sie die Wörter. Wie heißt das Lösungswort?

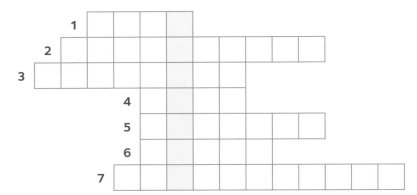

1 Ich mag meine Kollegen. Ich finde sie …

2 In der Pause … ich mich viel mit meinen Kolleginnen und Kollegen.

3 Ich kann meinem Freund alles erzählen. Ich … ihm.

4 Wenn man mit einer Person befreundet ist, dann spricht man meistens informell mit dieser Person. Man sagt *du*: Man … diese Person.

5 Wenn es mir schlecht geht, … meine Freundin mich.

6 Wenn man eine Person noch nicht kennt, dann spricht man formell mit dieser Person. Man sagt *Sie*: Man … diese Person.

7 Er hilft mir und ich helfe ihm. Wir helfen uns …

Lösungswort: Wenn ich .... bin, helfen mir meine Freunde.

A   Was ist Freundschaft?

2a Zwei Freundschaften. Welche Fotos passen? Hören Sie und kreuzen Sie an.

2b Hören Sie die Interviews noch einmal kreuzen Sie an: Richtig oder falsch?

	R	F
1 Die Freundinnen Semra und Pia interessieren sich für Fußball.	☐	☐
2 Sie sehen mit ihrem Partner Fußballspiele im Fernsehen an.	☐	☐
3 Sie ärgern sich lange, wenn ihre Mannschaft verliert.	☐	☐
4 Die beiden Freunde Tim und Björn haben sich im Urlaub kennengelernt.	☐	☐
5 Björn ist nicht sicher, ob er sich auf Tim verlassen kann.	☐	☐
6 Björn hat mit Tim viel über seine Freundin gesprochen.	☐	☐

3a Was passt zusammen? Ordnen Sie zu.

1 etwas gemeinsam		**A**	gehen
2 gemeinsam durch dick und dünn		**B**	trösten
3 sich auf einen Freund		**C**	unterstützen
4 sich über einen Freund		**D**	erleben
5 gute/schlechte Erinnerungen		**E**	haben
6 einen Freund bei großen und kleinen Sorgen		**F**	ärgern
7 einen Freund		**G**	verlassen

3b Schreiben Sie drei Sätze über gute Freunde mit den Wörtern aus 3a.

....

....

....

....

....

4a Wiederholung: Verben mit Präpositionen. Was ist richtig? Markieren Sie.

1 sich engagieren　(für)　an　über　　　　**5** sich freuen　über　von　bei

2 telefonieren　　　auf　von　mit　　　　**6** sich freuen　bei　auf　von

3 sich verlassen　　auf　über　für　　　　**7** träumen　　an　von　für

4 sich ärgern　　　auf　über　an　　　　**8** denken　　bei　auf　an

4b Schreiben Sie Sätze mit den Verben aus 4a in Ihr Heft.

1. Mein Freund engagiert sich für einen Verein.

5 Wiederholung: Fragewörter für Sachen und für Personen. Ordnen Sie zu.

1 Worauf wartest du?　　　　　　　　**A** Auf Johanna. Sie kommt gleich.

2 Worüber ärgerst du dich?　　　　　**B** Über die letzte Urlaubsreise. Wir haben uns
　　　　　　　　　　　　　　　　　　　　Fotos angesehen.

3 Wovon träumst du?

4 Auf wen wartest du?　　　　　　　　**C** Über Martin. Er ist schon zwei Wochen krank.

5 Von wem träumt Niko?　　　　　　　**D** Auf den Anruf von meinen Eltern.

6 Über wen sprecht ihr?　　　　　　　**E** Über meinen Job. Ich habe zu viel Stress.

7 Über wen ärgerst du dich?　　　　　**F** Über Bessa. Wir haben uns gestritten.

8 Worüber habt ihr gestern　　　　　**G** Vom Urlaub. Ich habe gerade so viel Stress.
　　gesprochen?
　　　　　　　　　　　　　　　　　　　H Bestimmt von seiner Freundin. Sie sind erst
　　　　　　　　　　　　　　　　　　　　zwei Wochen zusammen.

6 Wiederholung: Fragewörter. Über Freunde sprechen. Schreiben Sie Fragen zu den
Antworten in Ihr Heft.

> 1 Auf meinen Freund
> Fadi. Auf ihn kann ich
> mich immer verlassen.

> 4 Mein Freund Luis
> interessiert sich für
> Sport, genauso wie ich.

> 2 Fadi und ich träumen von einer
> Weltreise. Wir wollen nach dem
> Abitur zuerst ein Jahr reisen.

> 5 Streiten? Naja, eigentlich
> nur über Musik. Luis hört
> gern Hard Rock. Das finde
> ich furchtbar.

> 6 Wir lachen oft über die gleichen Dinge.

> 3 Mit meiner Freundin Katja. Mit ihr
> kann ich über alles sprechen: über
> meine Probleme, über Bücher, ...

> 1. Auf wen kannst du dich verlassen?

7 Lesen Sie die Sätze. Was bedeuten die Wörter? Ergänzen Sie.

1 Der Urlaub mit meinen Freunden war wunderschön. Ich träume immer noch davon.

davon = .vom schönen Urlaub.........................

2 Wir haben uns Fahrräder geliehen und sind damit drei Wochen durch die Alpen gefahren.

damit = ...

3 Ich habe eine schlechte Erinnerung an den Urlaub. Aber darüber möchte ich nicht
sprechen.

darüber = ...

4 Gestern haben wir uns wieder getroffen und haben eine Fahrradtour in Spanien geplant.
Wir freuen uns schon sehr darauf.

darauf = ...

5 Der Urlaub an der Ostsee war sehr entspannend. Ich denke gern daran.

daran = ...

6 Mein Freund hat für den nächsten Urlaub ein Hotel gebucht. Das Hotel ist aber sehr
teuer und nicht schön. Wir haben lange darüber diskutiert.

darüber = ...

7 Ich warte schon auf das Wochenende. Darauf freue ich mich schon.

darauf = ...

8 Lesen Sie die Texte und ergänzen Sie: *daran, darauf* oder *darüber*.

www.lustige-geschichten.de

Worüber haben Sie das letzte Mal gelacht? vorheriges Thema nächstes Thema

Anuk: Ich habe das letzte Mal heute Morgen gelacht. Ich habe von meinem Freund ein sehr großes Paket bekommen und in dem Paket war ein kleines Päckchen mit einem Ring! .... habe ich mich sehr gefreut!

Saskia: Gestern habe ich eine Komödie über Frauen, Männer und Fußball gesehen. .... muss ich jetzt noch lachen, wenn ich .... denke. Heute Abend wollen wir uns den Film noch einmal ansehen. .... freue ich mich jetzt schon.

Kari-ann: Gelacht? Ich habe mich geärgert! Mein Zug hatte schon wieder eine Stunde Verspätung! .... ärgere ich mich jedes Mal.

Jascha: Über meine Freundin. Sie hat mich gestern angerufen und erzählt, dass sie ihre Badesachen zu Hause vergessen hat, sie hat nicht .... gedacht. Sie ist im Urlaub – am Meer! Sie hat sich sehr .... geärgert und ich habe .... gelacht.

9 Schreiben Sie die Sätze wie im Beispiel.

1 In zwei Wochen fahre ich in den Urlaub. (oft denken an)

In zwei Wochen fahre ich in den Urlaub. Daran denke ich oft.

2 Ich möchte sehr gut Klavier spielen können. (schon lange träumen von)

....

3 Ich habe mich heute wieder mit meinem Chef gestritten. (sich oft ärgern über)

....

4 Rosana ist eine sehr nette Kollegin. (sich in der Pause unterhalten mit)

....

5 Meine Freundin heiratet in vier Wochen. (viel sprechen über)

....

6 Alexander ist immer unpünktlich. (immer warten auf)

....

B Eine Freundschaftsgeschichte

10a **Eine Geschichte erzählen. Ordnen Sie die Textteile.**

A ☐ Markus ist auch ausgestiegen und hat sich ein Plakat von einem Konzert angeschaut.

B ☐ Er war sehr müde und hat nicht gut aufgepasst. Plötzlich ist der Zug abgefahren und Markus war ohne Tasche und ohne Portemonnaie auf dem Bahnsteig.

C ☑1 Markus ist Ingenieur und ist beruflich viel unterwegs. Letzten Freitag musste er lange arbeiten und konnte erst spät am Abend wieder von Oldenburg nach Hause fahren.

D ☐ Es war schon halb eins und der Bahnhof war leer. Markus hat im ganzen Bahnhof gesucht, aber er hat keinen Menschen gefunden.

E ☐ In Münster hatte sein Zug einen langen Aufenthalt, weil ein Signal ein technisches Problem hatte. Alle Fahrgäste konnten aussteigen.

F ☐ Die Bahnhofsrestaurants und Geschäfte waren geschlossen und es war sehr kalt. Was konnte er tun? Er war total kaputt.

10b **Wie geht die Geschichte weiter? Ordnen Sie die Bilder.**

10c **Schreiben Sie das Ende der Geschichte. Die Wörter helfen.**

> glücklicherweise • Smartphone in der Tasche haben • ein Freund •
> in der Nähe von Münster • Nummer herausfinden • anrufen •
> die Frau von seinem Freund • am Telefon sein • unfreundlich sein •
> mit dem Auto abholen • sich auf seinen Freund verlassen können

Markus hatte glücklicherweise ...

11a Gute Freunde. Welche Fotos passen? Hören Sie und kreuzen Sie an.

2.45

11b Hören Sie die Interviews noch einmal. Was ist richtig? Kreuzen Sie an.

2.45

1   Frau Schmidt kennt ihre Freundinnen
   A ☐ seit mehr als 10 Jahren.
   B ☐ seit mehr als 60 Jahren.
   C ☐ seit mehr als 70 Jahren.

2   Sie treffen sich jeden Mittwoch
   A ☐ in einer Schule.
   B ☐ in einem Café.
   C ☐ bei ihr zu Hause.

3   Sie sprechen über
   A ☐ die Familie.
   B ☐ das Essen.
   C ☐ über Konzerte und Ausstellungen.

4   Lukas hatte letztes Jahr
   A ☐ gute Noten in Englisch und Deutsch.
   B ☐ keinen Freund in der Schule.
   C ☐ Probleme in der Schule.

5   Ferhad
   A ☐ findet Schule nicht so wichtig.
   B ☐ wollte Lukas nicht helfen.
   C ☐ hat ihm die Meinung gesagt.

6   Ferhad und Lukas
   A ☐ sehen sich fast jeden Tag.
   B ☐ spielen zusammen Basketball.
   C ☐ treffen sich nur in der Woche.

C   Gedanken zur Freundschaft

12   Freunde mit 17 und mit 70. Zwei Elfchen. Ergänzen Sie die Gedichte.

> immer zusammen • zusammen schaffen wir alles • Energie und Spaß • 50 Jahre •
> so viele gemeinsame Erinnerungen • Familie, Kinder, Enkel

Freunde

....

....

....

Perfekt!

Freunde

....

..........., ..., ...

....

Wunderbar!

⁎13 Elfchen „auf dem Kopf". Schreiben Sie ein Gedicht über Ihren Sprachkurs.

Sprachkurs

14 Schreibtraining. In der E-Mail sind 8 Fehler: Das Verb steht nicht an der richtigen Position. Korrigieren Sie und schreiben Sie die E-Mail richtig in Ihr Heft.

Fehler +++ Fehler +++ Fehler

Lieber Reza,

gerade habe ich deine Nachricht bekommen. Bist du wirklich für zwei Wochen in Frankfurt? Das ich finde toll. Ich würde dich wiedersehen sehr gerne. Wie geht es dir und deiner Familie? Du immer noch hast deine Stelle in Hannover?

Bei mir ist alles in Ordnung. Meine Frau jetzt macht einen Deutschkurs und die Kinder sind in der Schule. Sie haben schon gelernt sehr viel Deutsch. Erinnerst du dich noch an unseren gemeinsamen Deutschkurs? Ich gerne daran denke. Es war anstrengend, aber es hat auch gemacht Spaß. Wann kannst kommen du zu uns, damit wir uns mal wieder gemütlich unterhalten können? Sag Bescheid, meine Handynummer ist die 0153 55 123 98 675.

Ich freue mich schon auf dich!

Liebe Grüße
Javid

Lieber Reza,
gerade habe ich deine Nachricht bekommen.

15a Über welche Themen sprechen Sie mit Ihren Freunden und Bekannten häufig? Sammeln Sie drei Themen.

....

....

....

15b Lesen Sie die Statistik und ergänzen Sie die Sätze.

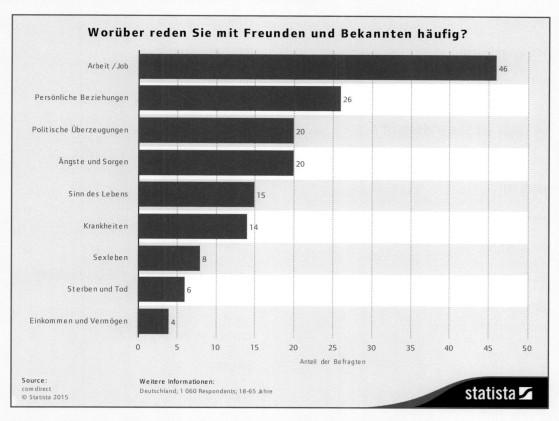

Worüber reden Sie mit Freunden und Bekannten häufig?

Thema	Anteil der Befragten
Arbeit / Job	46
Persönliche Beziehungen	26
Politische Überzeugungen	20
Ängste und Sorgen	20
Sinn des Lebens	15
Krankheiten	14
Sexleben	8
Sterben und Tod	6
Einkommen und Vermögen	4

Anteil der Befragten

Source:
comdirect
© Statista 2015

Weitere Informationen:
Deutschland; 1 060 Respondents; 18-65 Jahre

statista ⁊

1 Deutsche sprechen weniger über .... als über Sterben und Tod.

2 Deutsche sprechen über .... ein bisschen weniger als über den Sinn des Lebens.

3 Deutsche sprechen über .... genauso viel wie über politische Überzeugungen.

4 Das Thema .... steht an erster Stelle.

15c Vergleichen Sie Ihre Themen mit den Themen in der Statistik. Schreiben Sie Sätze und vergleichen Sie im Kurs.

Die Deutschen sprechen mehr über ... als ich.
Das Thema ... ist für Deutsche wichtiger als für mich.
Ich finde interessant, dass Deutsche mehr über ... sprechen als über ...
Für mich ist ... ein wichtiges Thema, darüber sprechen die Deutschen auch/ nicht.

die Freundschaft, -en ....

duzen ....

siezen ....

trösten ....

sich gegenseitig helfen ....

gegenseitig ....

vertrauen ....

befreundet sein ....

sich verstehen ....

A Was ist Freundschaft?

sich verlassen auf ....

glücklich ....

gemeinsam ....

das Erlebnis, -se ....

die Erinnerung, -en ....

gute/schlechte
Erinnerungen haben ....

kaputt gehen ....

der Erfolg, -e ....

die Webseite, -n ....

sich verabreden ....

unternehmen ....

das Privatleben, Sg. ....

durch dick und dünn gehen ....

die Politik, Sg. ....

B Eine Freundschaftsgeschichte

die Überraschung, -en ....

dorthin ....

der Aufenthalt, -e ....

der Bahnsteig, -e ....

das Portemonnaie, -s ....

vermissen ....

intelligent ....

traurig ....

zufrieden ....

eifersüchtig ....

das Interesse, -n ....

mindestens ....

merken ....

sich erinnern ....

teilen ....

der Humor, Sg. ....

das Gegenteil, -e ....

C Gedanken zur Freundschaft

der Gedanke, -n ....

zusammenhalten ....

zusammen ....

weinen ....

lachen ....

die Liebe, Sg. ....

die Wärme, Sg. ....

blühen ....

Blumen blühen ....

trennen ....

das Gedicht, -e ....

das Lied, -er ....

1a Wie heißt das Nomen zu diesen Verben? Suchen Sie in der Wortliste und ergänzen Sie.

Verb	Nomen
kennen	*der/die Bekannte, n*
denken	
sich erinnern	
etwas erleben	
sich interessieren	

1b Schreiben Sie mit den Wörtern aus 1a Sätze wie im Beispiel.

> *Bekannte von mir wohnen in Frankfurt.*

2 Welche Wörter sind das? Ordnen Sie zu.

> merken • vertrauen • trennen • vermissen • sich verabreden • weinen

1 Man ist traurig, dass eine Person oder eine Sache nicht da ist: *seine Freunde ~ , seine Heimat ~*

2 einen Termin ausmachen, an dem man sich treffen möchte: *~ für das Kino*

3 Tränen in den Augen haben, weil man traurig ist oder Schmerzen hat: *~, weil man zum Beispiel hingefallen ist*

4 denken, dass jemand zuverlässig ist: *einem Freund voll und ganz ~*

5 das Gegenteil von zusammenbringen: *Das Präfix vom Verb ~*

6 etwas sehen und verstehen: *~ dass ein Freund traurig ist.*

3 Gegenteile in der Wortliste finden. Ergänzen Sie die Gegenteile.

1 fröhlich ≠ ....

2 weinen ≠ ....

3 allein ≠ ....

4 die Kälte ≠ ....

5 gute Erinnerungen ≠ ....

6 das Gleiche ≠ ....

🔊 2.46 **4** Wörter hören und nachsprechen. Hören Sie zu und sprechen Sie nach.

1 traurig – eifersüchtig – glücklich – zufrieden
2 sich erinnern – sich verabreden – etwas erleben – sich interessieren
3 der Gedanke – der Erfolg – das Interesse – der Humor

1.

2.

3. fragen nach

4. denken an

5.

6.

7. teilnehmen an

8.

9.

5 Sehen Sie die Fotos an und ordnen Sie die Verben mit Präpositionen zu.

> sich freuen über • warten auf • sich vorbereiten auf • sich beschweren über •
> sich kümmern um • träumen von • sich erinnern an • sich ärgern über •
> sich verlieben in • lachen über • sich informieren über

6 Hören Sie die Verben mit Präpositionen und sprechen Sie nach.

2.47

sprechen über

diskutieren über

gratulieren zu

sich streiten über

7a Zu welchem Foto 1–9 passen die Sätze? Ordnen Sie zu und ergänzen Sie die Präposition.

1 ☐ Er kümmert sich .... eine Patientin.

2 ☐ Sie denkt .... den letzten Urlaub.

3 ☐ Sie nehmen .... einem Sportkurs teil.

4 ☐ Sie fragt .... der Uhrzeit.

5 ☐ Er bereitet sich .... die nächsten Prüfungen vor.

7b Schreiben Sie Sätze wie in 7a zu den Fotos 10–18.

8 Schreiben Sie Fragen zu den Fotos. Fragen und antworten Sie zu zweit.

1 Lesen Sie und ergänzen Sie in A–G.

✓ ✗

Ich kann auf Deutsch

☐ ☐ **A** über Vereine und ehrenamtliches Engagement sprechen.

> helfen • ehrenamtlich • Mitglied • Mitgliedsbeitrag

Pia ist .... im Nachbarschaftsverein.

Sie engagiert sich dort ....

Sie .... älteren Menschen, die alleine

leben. Es gibt keinen ....

Pia Gröner

☐ ☐ **B** etwas genauer beschreiben.

> Abitur machen können • schnell fahren können • Musik hören können •
> Kinder spielen • warme Kleidung brauchen

1 Ein Radio ist ein Gerät, mit dem man ....

2 Ein Spielplatz ist ein Platz, auf dem ....

3 Der Winter ist eine Jahreszeit, in der man ....

4 Das Gymnasium ist eine Schule, auf der man ....

5 Ein Sportwagen ist ein Wagen, mit dem man ....

☐ ☐ **C** mit Ämtern und Behörden telefonieren.

> verbunden • Durchwahl • sprechen • verwählt • spricht • verbinden

1 Können Sie mir bitte die .... von Herrn Walter geben?

2 • Guten Tag, hier .... Lydia Ortega.

  • Ich möchte gerne mit Frau Schulz von der Firma Müller ....

   Können Sie mich bitte .... ?

3 • Nein, hier ist nicht die Firma Müller. Sie sind falsch ....

  • Tut mir leid, dann habe ich mich .... Entschuldigen Sie die Störung.

D   **mit Bankmitarbeitern sprechen.**   ☐ ☐

> Gebühren • kostenlos • kostet • eröffnen • Kreditkarte • Kreditkarte

- Ich möchte gerne ein Konto .... Wie viel .... das im Monat?

- Wir haben ein Girokonto, bei dem Sie 4 Euro im Monat plus .... zum Beispiel

  für eine .... bezahlen. Mit der EC-Karte können Sie auch ....
  bezahlen.

- Wann bekomme ich die EC-Karte und die .... ?
- Die kommen per Post in ungefähr zwei Wochen.

E   **sagen, welche Versicherungen man wichtig oder nicht wichtig findet.**   ☐ ☐

Ich finde eine Haftpflichtversicherung ...., weil ....

....

Die Krankenversicherung ist ...., weil ....

....

F   **etwas reklamieren.**   ☐ ☐

> Garantieschein • gekauft • Quittung • funktioniert

- Guten Tag, ich habe gestern dieses Radio ...., aber es ....

  nicht. Hier habe ich die .... und den ....
- Ich schicke das Radio zur Reparatur ans Werk. Das dauert ungefähr zwei Wochen.
- Vielen Dank.

G   **über Freundschaften sprechen.**   ☐ ☐

1   Wie oft treffen Sie Ihre Freunde?

....

2   Worüber sprechen Sie mit guten Freunden oder Freundinnen?

....

3   Was machen Sie gerne zusammen mit guten Freunden oder Freundinnen?

....

2   **Kontrollieren Sie mit den Lösungen und markieren Sie ✓ für kann ich und ✗ für kann
ich nicht so gut.**

DTZ-Vorbereitung Sprechen

Sprechen

Teil 1 Schreiben Sie zu jedem Stichwort eine passende Frage und beantworten Sie die Fragen.

	Fragen		Antworten
Name?	Wie	?	
Geburtsort?	Wo	?	
Wohnort?	Wo	?	
Arbeit/Beruf?	Was	?	
Familie?	Sind Sie	?	
	Haben Sie	?	
	Wie viele	?	

Teil 2 Wählen Sie ein Foto aus und beschreiben Sie das Foto. Lesen Sie den Text dann laut.

Auf dem Foto sehe ich … •
Ich glaube, die Familie … •
Vielleicht … •
Das Foto zeigt, wie …

Auf dem Foto sehe ich eine Familie. Es ist vielleicht Wochenende …

Wie ist es in Ihrem Heimatland? Wählen Sie die Redemittel aus dem Schüttelkasten und schreiben Sie drei Sätze.

> Bei uns in … ist es anders als in Deutschland: … • Bei uns in … ist es ähnlich wie in Deutschland: … • Bei uns ist es genau so wie in Deutschland. • Für mein Heimatland ist typisch, dass … • Ich finde, dass in Deutschland / in meinem Heimatland …

....

....

....

....

....

Teil 3 Sie wollen mit Ihren Nachbarn ein Hoffest machen und sollen es zusammen mit Ihrem Partner / Ihrer Partnerin organisieren. Ordnen Sie zuerst die Redemittel zu und schreiben Sie Sätze. Schreiben Sie dann einen Dialog.

Hier sind einige Notizen:

- Wann soll das Fest stattfinden?   - Wer kauft Essen und Getränke?
- Wer schreibt die Einladungen?   - Wer bringt Musik mit?

> Ich denke, dass … • Das finde ich nicht so gut. Ich finde es besser, wenn … • Ich schlage vor, dass … • Das ist eine gute Idee, wie können … • Ich denke, dass das nicht so gut ist. Es ist besser, wenn … • Ja, so machen wir es und … • Einverstanden.

etwas vorschlagen

Ich denke, dass das Fest am Sonntagnachmittag stattfinden sollte. ....

....

....

zustimmen

....

....

....

ablehnen

....

....

....

Grammatik im Überblick

1 Verben im Präsens

Regelmäßige Verben
Verben mit Vokalwechsel: *e → i, e → ie, a → ä*
Unregelmäßige Verben
Trennbare Verben
Modalverben
Das Verb *lassen*
Reflexive Verben
Die Verben *legen/liegen* und
stellen/stehen
Der Imperativ
Höfliche Bitten
Ratschläge mit *sollte*
Wunschsätze mit *würde gern(e)* + Infinitiv

2 Verben in der Vergangenheit

Das Präteritum von *sein* und *haben*
Modalverben im Präteritum
Das Perfekt

3 Artikel und Nomen

Artikel im Nominativ, Akkusativ und Dativ
Possessivartikel
Das Fragewort *welch–*
Der Demonstrativartikel *dies–*
Das Fragewort *was für ein–*
Der Plural von Nomen

4 Pronomen

Personalpronomen
Artikel und Pronomen
Das unpersönliche Pronomen *man*
Artikel als Pronomen
Das Pronomen *es*
Reflexivpronomen
Relativpronomen

5 Adjektive

Adjektive nach dem Nomen (prädikativ)
Adjektive vor dem Nomen (attributiv)
Adjektive im Komparativ

6 Präpositionen

Temporale Präpositionen (Zeit): *am, um, im,*
vor, nach, seit, bis, von … bis
Lokale Präpositionen (Ort): *in, bei, nach, zu,*
aus, von
Präpositionen mit Dativ: *aus, bei, mit, nach,*
seit, von, zu, vor (temporal)
Präpositionen mit Akkusativ: *für, um, durch,*
ohne
Wechselpräpositionen mit Akkusativ und
Dativ: *in, an, auf, hinter, vor, über, unter,*
neben, zwischen
Verben mit Präpositionen
Fragewörter und Pronomen bei Verben mit
Präpositionen: *worauf, wofür … darauf,*
dafür …

7 Wortbildung

Komposita
Das Datum – Ordinalzahlen

8 Wörter im Satz

Sätze und W-Fragen
Ja/Nein-Fragen (Satzfragen)
Satzklammer: Trennbare Verben,
Modalverben und Perfekt
Ja – Nein – Doch
Vergleichssätze
Verneinung mit *nicht* oder *kein*
Verben und Ergänzungen (Verben mit
Nominativ, Dativ und Akkusativ, Verben mit
Präpositionen)
Satzverbindungen mit *aber – denn –*
und – oder
Nebensätze mit *weil*
Nebensätze mit *dass*
Nebensätze mit *wenn*
Nebensätze mit *damit*
Indirekte Fragen
Nebensatz vor Hauptsatz
Relativsätze

1 Verben im Präsens

Regelmäßige Verben

Infinitiv		kommen
Singular	ich	komm-e
	du	komm-st
	er/es/sie/man	komm-t
Plural	wir	komm-en
	ihr	komm-t
	sie	komm-en
Höflichkeitsform	Sie	komm-en

Woher kommen Sie?

Ich komme aus Deutschland.

⚠ heißen: du heißt, er/sie heißt
genauso: genießen, schließen, …
⚠ sitzen: du sitzt
genauso: nutzen, putzen, …

⚠ arbeiten: du arbeitest, er/sie arbeitet,
ihr arbeitet …
genauso: antworten, kosten, einschalten, ausschalten, berichten, bieten, bitten, chatten, reden, …

Verben mit Vokalwechsel: *e → i, e → ie, a → ä*

Infinitiv		e → i **sprechen**	e → ie **lesen**	a → ä **schlafen**
Singular	ich	spreche	lese	schlafe
	du	sprichst	liest	schläfst
	er/es/sie/man	spricht	liest	schläft
Plural	wir	sprechen	lesen	schlafen
	ihr	sprecht	lest	schlaft
	sie	sprechen	lesen	schlafen
Höflichkeitsform	Sie	sprechen	lesen	schlafen

genauso: treffen: er/sie trifft
essen: er/sie isst
nehmen: er/sie nimmt

helfen: er/sie hilft
sehen: er/sie sieht
tragen: er/sie trägt

anfangen: er/sie fängt an
fahren: er/sie fährt
einladen: er/sie lädt ein

Unregelmäßige Verben

Infinitiv		sein	haben	mögen	(möchten)	wissen
Singular	ich	bin	habe	mag	möchte	weiß
	du	bist	hast	magst	möchtest	weißt
	er/es/sie/man	ist	hat	mag	möchte	weiß
Plural	wir	sind	haben	mögen	möchten	wissen
	ihr	seid	habt	mögt	möchtet	wisst
	sie	sind	haben	mögen	möchten	wissen
Höflichkeitsform	Sie	sind	haben	mögen	möchten	wissen

Grammatik im Überblick

Trennbare Verben

Der Kurs fängt um 9 Uhr an und hört um 12 Uhr auf.

Am Dienstag fällt der Kurs aus.

ab}holen	Marines	holt	ein Paket	ab.
ein}kaufen	Danach	kauft	sie Obst und Gemüse	ein.
auf}stehen	Morgen	steht	sie sehr früh	auf.

genauso: anfangen, anrufen, aufräumen, aufhören, ausgehen, ausfallen, fernsehen, mitkommen, mitbringen, stattfinden, abschicken, auswählen, …

In der Wortliste am Ende jeder Lektion im Arbeitsbuch sind die trennbaren Verben immer so } gekennzeichnet, zum Beispiel: an}fangen.

Modalverben

Infinitiv		können	wollen	müssen	sollen	dürfen
Singular	ich	kann	will	muss	soll	darf
	du	kannst	willst	musst	sollst	darfst
	er/es/sie/man	kann	will	muss	soll	darf
Plural	wir	können	wollen	müssen	sollen	dürfen
	ihr	könnt	wollt	müsst	sollt	dürft
	sie	können	wollen	müssen	sollen	dürfen
Höflichkeitsform	Sie	können	wollen	müssen	sollen	dürfen

Ich	kann	gut auf Deutsch	lesen.
Meine Freundin	will	noch einen Apfelsaft	trinken.
Wir	müssen	jeden Tag früh	aufstehen.
Ich	soll	die Tabletten zweimal pro Tag	nehmen.
Hier	darf	man nicht	parken.

Das Verb *lassen*

	lassen
ich	lasse
du	lässt
er/es/sie/man	lässt
wir	lassen
ihr	lasst
sie	lassen
Sie	lassen

Ich	lasse	meine Wohnung	streichen.
Sie	lässt	ihre Lampe	aufhängen.

Ich lasse meine Wohnung renovieren.
(=Ich renoviere meine Wohnung nicht selbst).

Reflexive Verben

	sich freuen
ich	freue mich
du	freust dich
er/es/sie/man	freut sich
wir	freuen uns
ihr	freut euch
sie	freuen sich
Sie	freuen sich

Wir freuen uns, weil wir eine gute Wohnung gefunden haben.

genauso: sich vorstellen, sich verkleiden, sich ärgern, sich entschuldigen, sich fühlen, sich kennenlernen, sich streiten, sich trennen, sich unterhalten, sich verlieben, sich vorstellen, …

Die Verben *legen/liegen* und *stellen/stehen*

Wohin? – *legen/stellen*
(Präposition + Akkusativ)
Sie legen den Teppich auf den Boden.
Sie stellen den Tisch auf den Teppich.

Wo? – *liegen/stehen*
(Präposition + Dativ)
Der Teppich liegt auf dem Boden.
Der Tisch steht auf dem Teppich.

Der Imperativ

	Sie-Form	du-Form	ihr-Form
machen	Machen Sie …	(du mach**st**) Mach …	Macht …
sprechen	Sprechen Sie …	(du sprich**st**) Sprich …	Sprecht …
mitkommen	Kommen Sie (doch) mit!	(du komm**st**) Komm (doch) mit!	Kommt (doch) mit!
⚠ fahren	Fahren Sie!	(du fährst) Fahr …	Fahrt …
⚠ sein	Seien Sie ruhig!	(du bist) Sei ruhig!	Seid ruhig!

Höfliche Bitten

Könntest du mir helfen?   Könnten Sie Frau Abiska einen Schlüssel geben?
Entschuldigung, darf ich fragen, wie der neue Kollege heißt?

Ratschläge mit *sollte*

ich	sollte
du	solltest
er/es/sie/man	sollte
wir	sollten
ihr	solltet
sie	sollten
Sie	sollten

Sie	sollten	regelmäßig Sport	machen.
In einer Hausapotheke	sollte	ein Fieberthermometer	sein.
Man	sollte	sich gesund	ernähren.

Wunschsätze mit *würde gern(e)* + Infinitiv

ich	würde
du	würdest
er/es/sie/man	würde
wir	würden
ihr	würdet
sie	würden
Sie	würden

Was	würdest	du gerne	machen?
Ich	würde	gerne in einem Hotel	arbeiten.
Er	würde	gerne eine Ausbildung	machen.

2 Verben in der Vergangenheit

Das Präteritum von *sein* und *haben*

Infinitiv		sein	haben
Singular	ich	war	hatte
	du	warst	hattest
	er/es/sie/man	war	hatte
Plural	wir	waren	hatten
	ihr	wart	hattet
	sie	waren	hatten
Höflichkeitsform	Sie	waren	hatten

> *Waren Sie auch in Berlin?*

> *Nein, ich hatte keine Zeit.*

Modalverben im Präteritum

	müssen	können	dürfen	wollen
ich	musste	konnte	durfte	wollte
du	musstest	konntest	durftest	wolltest
er/es/sie/man	musste	konnte	durfte	wollte
wir	mussten	konnten	durften	wollten
ihr	musstet	konntet	durftet	wolltet
sie	mussten	konnten	durften	wollten
Sie	mussten	konnten	durften	wollten

Für *möchte* gibt es kein Präteritum, man benutzt das Präteritum von *wollen* (*wollte*):
Heute möchte ich einen Kaffee, gestern wollte ich einen Tee.

Das Perfekt: *haben/sein* + Partizip

Für die meisten Verben benutzt man in der Vergangenheit das Perfekt.

Wann	sind	Sie nach Deutschland	gekommen?
Ich	bin	2002 nach Deutschland	gekommen.
Was	haben	Sie am Wochenende	gemacht?
Wir	haben	am Samstag auf dem Markt	eingekauft.

Das Perfekt: Bildung der Partizipien

Partizipien mit *ge-*

	„normale" Verben	trennbare Verben
regelmäßig (Endung „t")	ge ...(e)t spielen – hat gespielt arbeiten – hat gearbeitet kaufen – hat gekauft	...ge...(e)t mitspielen – hat mitgespielt ausschalten – hat ausgeschaltet einkaufen – hat eingekauft
unregelmäßig (Endung „en")	ge...en kommen – ist gekommen geben – hat gegeben sehen – hat gesehen	...ge...en ankommen – ist angekommen aufgeben – hat aufgegeben fernsehen – hat ferngesehen

Partizipien ohne *ge-*

	Verben mit den Präfixen *be-, emp-, ent-, er-, ge-, ver-, zer-*	Verben auf *-ieren*
regelmäßig (Endung „t")	...t bezahlen – hat bezahlt erzählen – hat erzählt entschuldigen – hat entschuldigt gehören – hat gehört	...t installieren – hat installiert reparieren – hat repariert reservieren – hat reserviert transportieren – hat transportiert
unregelmäßig (Endung „en")	...en bekommen – hat bekommen behalten – hat behalten gefallen – hat gefallen verstehen - hat verstanden	

Die unregelmäßigen Partizipien (gegangen, gefahren ...) finden Sie im Kursbuch (Gesamtband) auf den Seiten 232–235.

Das Perfekt: *sein* oder *haben*?

Die meisten Verben bilden das Perfekt mit *haben*: ich habe gemacht, ich habe gelernt, ich habe gearbeitet ...

Verben der Bewegung von A nach B oder Verben der Veränderung bilden das Perfekt mit *sein*.

Bewegungsverben von A nach B	Zustandsveränderung
A ——→ B gehen: ist gegangen	einschlafen: ist eingeschlafen

> Wir sind gestern nach Köln gefahren. Und was hast du gemacht?

weitere Bewegungsverben:
abbiegen, abfahren, kommen, ankommen, fahren, fliegen, joggen, laufen, reisen, rennen, schwimmen, umsteigen, umziehen, ...

⚠ Verben, die keine Bewegungsverben sind, aber das Perfekt mit *sein* bilden:
sein, ist gewesen - bleiben, ist geblieben

3 Artikel und Nomen

Artikel im Nominativ

	m (maskulin)		n (neutrum)		f (feminin)		Pl (Plural)	
bestimmter Artikel	der		das		die		die	
unbestimmter Artikel	ein		ein		eine		-	
Negativartikel	kein	Mann	kein	Auto	keine	Frau	keine	Kinder
Possessivartikel	mein		mein		meine		meine	
Demonstrativartikel	dieser		dieses		diese		diese	

Das sind meine Kinder.

Der Mann heißt Arno.

Artikel im Akkusativ

	m (maskulin)		n (neutrum)		f (feminin)		Pl (Plural)	
bestimmter Artikel	den		das		die		die	
unbestimmter Artikel	einen		ein		eine		-	
Negativartikel	keinen	Mann	kein	Auto	keine	Frau	keine	Kinder
Possessivartikel	meinen		mein		meine		meine	
Demonstrativartikel	diesen		dieses		diese		diese	

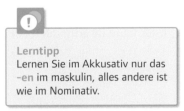

Lerntipp
Lernen Sie im Akkusativ nur das -en im maskulin, alles andere ist wie im Nominativ.

Ich kenne den Mann nicht.

Ich habe keinen Computer.

Artikel im Dativ

	m (maskulin)		n (neutrum)		f (feminin)		Pl (Plural)	
bestimmter Artikel	dem		dem		der		den	
unbestimmter Artikel	einem		einem		einer		-	
Negativartikel	keinem	Mann	keinem	Auto	keiner	Frau	keinen	Kindern
Possessivartikel	meinem		meinem		meiner		meinen	
Demonstrativartikel	diesem		diesem		dieser		diesen	

Das Nomen hat im Dativ Plural immer die Endung -n: Wie spielen mit den Kindern.

⚠ Ausnahme: Nomen mit s-Plural: die Autos - mit den Autos.

Possessivartikel

Guten Tag, mein Name ist Thomas Müller und das ist meine Frau.

Sind das Ihre Kinder?

Ja, das sind unsere Töchter Lisa und Nina und das ist unser Sohn Tobias.

	m (maskulin)		n (neutrum)		f (feminin)		Pl (Plural)	
ich	mein		mein		meine		meine	
du	dein		dein		deine		deine	
er/es/man	sein		sein		seine		seine	
sie	ihr	Sohn	ihr	Haus	ihre	Tochter	ihre	Kinder
wir	unser		unser		unsere		unsere	
ihr	euer		euer		eure		eure	
sie (Pl.)	ihr		ihr		ihre		ihre	
Sie	Ihr		Ihr		Ihre		Ihre	

Das Fragewort *welch-*

	m (maskulin)	n (neutrum)	f (feminin)	Pl (Plural)
Nominativ	welcher Zug	welches Auto	welche U-Bahn	welche Fahrräder
Akkusativ	welchen Zug	welches Auto	welche U-Bahn	welche Fahrräder
Dativ	welchem Zug	welchem Auto	welcher U-Bahn	welchen Fahrrädern

Welchen Zug nehmen Sie?

Diesen Zug.

Mit welchem Zug sind Sie gekommen?

Mit diesem hier.

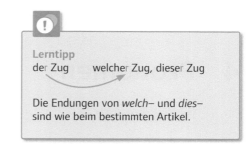

Lerntipp

der Zug → welcher Zug, dieser Zug

Die Endungen von *welch–* und *dies–* sind wie beim bestimmten Artikel.

Der Demonstrativartikel *dies-*

	m (maskulin)	n (neutrum)	f (feminin)	Pl (Plural)
Nominativ	dieser Zug	dieses Auto	diese U-Bahn	diese Fahrräder
Akkusativ	diesen Zug	dieses Auto	diese U-Bahn	diese Fahrräder
Dativ	diesem Zug	diesem Auto	dieser U-Bahn	diesen Fahrrädern

Das Fragewort *was für ein-*

	m (maskulin)	n (neutrum)	f (feminin)	Pl (Plural)
Nominativ	Was für ein Mantel?	Was für ein Kleid?	Was für eine Jacke?	Was für Schuhe?
Akkusativ	Was für einen Mantel?	Was für ein Kleid?	Was für eine Jacke?	Was für Schuhe?
Dativ	Mit was für einem Mantel?	Mit was für einem Kleid?	Mit was für einer Jacke?	Mit was für Schuhen?

> Was für einen Anzug hast du auf der Hochzeit getragen?

> Einen schwarzen Anzug.

Der Plural von Nomen

	Singular	Plural		Singular	Plural
-e	der Tisch	die Tische	**-**	der Computer	die Computer
-e (+ Umlaut)	der Stuhl	die Stühle	**-(+ Umlaut)**	der Vater	die Väter
-en	die Zahl	die Zahlen	**-s**	das Auto	die Autos
-n	die Tasche	die Taschen	**-er**	das Kind	die Kinder
-nen	die Lehrerin	die Lehrerinnen	**-er (+ Umlaut)**	das Haus	die Häuser

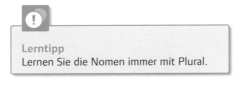

Lerntipp
Lernen Sie die Nomen immer mit Plural.

> Wie viele Stühle sind im Kursraum?

> Es sind 10 Stühle und 5 Tische.

4 Pronomen

Personalpronomen

Nominativ	Akkusativ	Dativ
ich	mich	mir
du	dich	dir
er	ihn	ihm
es	es	ihm
sie	sie	ihr
wir	uns	uns
ihr	euch	euch
sie	sie	ihnen
Sie	Sie	Ihnen

> Können Sie mir bitte helfen?

> Ja, gerne, ich rufe Sie morgen an.

Artikel und Pronomen

Der Schrank ist alt. Er ist alt.
Das Bett ist klein. Es ist klein.
Die Küche ist modern. Sie ist modern.
Die Blumen sind schön. Sie sind schön.

Das unpersönliche Pronomen *man*

Mit *man* steht das Verb in der 3. Person Singular.

> *Wie schreibt man das?*

> *Hier kann man Geld wechseln.*

Artikel als Pronomen

Wie finden Sie den blauen Anzug?   Der ist nicht schlecht. Den nehme ich.

Wie finden Sie das rote Kleid?   Das ist sehr elegant. Das nehme ich.

Wie gefällt Ihnen die Bluse?   Die ist zu kurz. Die nehme ich nicht.

Wie gefallen Ihnen die Schuhe?   Die sind gut. Die kaufe ich.

Das Pronomen *es*

In vielen Ausdrücken benutzt man das Pronomen *es*. Das *es* hat in diesen Ausdrücken keine Bedeutung.

Wetterwörter	andere Ausdrücke
Es regnet. / Es schneit. Heute ist es kalt. / Es ist windig. Es ist bewölkt.	Wie geht es Ihnen? Danke, es geht mir gut. Hier gibt es einen Park.

Reflexivpronomen

ich	freue	mich
du	freust	dich
er/es/sie/man	freut	sich
wir	freuen	uns
ihr	freut	euch
sie	freuen	sich
Sie	freuen	sich

> *Guten Tag, ich möchte mich vorstellen. Mein Name ist ...*

> *Wir haben uns im Sportkurs kennengelernt und uns sofort verliebt.*

Relativpronomen

	m (maskulin)	n (neutrum)	f (feminin)	Pl (Plural)
Nominativ	der	das	die	die
Akkusativ	den	das	die	die
Dativ	dem	dem	der	denen

⚠ Nur der Dativ Plural ist neu. Alle anderen Formen sind wie der definite Artikel.

Kennst du ein Café, **das** in der Nähe ist?

Ein Smartphone ist ein Ding, mit **dem** man telefonieren, Nachrichten schicken und im Internet surfen kann.

5 Adjektive

Adjektive nach dem Nomen (prädikativ)

Adjektive nach dem Nomen haben keine Endung.

Der Schrank ist neu. Ich finde den Schrank schön.
Das Sofa ist alt. Ich finde das Sofa langweilig.

Adjektive vor dem Nomen (attributiv)

Zwischen Artikel und Nomen haben Adjektive eine Endung (mindestens ein **-e**).

	m (maskulin)	n (neutrum)	f (feminin)	Pl (Plural)
Nominativ	der graue Anzug ein grauer Anzug kein grauer Anzug	das blaue Hemd ein blaues Hemd kein blaues Hemd	die rote Bluse eine rote Bluse keine rote Bluse	die braunen Schuhe - braune Schuhe keine braunen Schuhe
Akkusativ	den grauen Anzug einen grauen Anzug keinen grauen Anzug	das blaue Hemd ein blaues Hemd kein blaues Hemd	die rote Bluse eine rote Bluse keine rote Bluse	die braunen Schuhe - braune Schuhe keine braunen Schuhe

⚠ Gleiche Endung bei *ein* und *kein* im Singular: ein blaues Hemd = kein blaues Hemd.
Im Plural unterschiedliche Endung: - braune Schuhe = keine braunen Schuhe

❗ Lerntipp
das weiße Kleid   ein weißes Kleid

Der graue Anzug ist nicht so elegant.

Er trägt ein blaues Hemd.

Adjektive im Komparativ

Adjektiv + -er	Adjektiv + Umlaut + -er	Ausnahmen
hell – heller interessant – interessanter schnell – schneller langsam – langsamer schön – schöner	groß – größer kalt – kälter warm – wärmer kurz – kürzer lang – länger	gern – lieber gut – besser viel – mehr

Istanbul ist größer als London.

6 Präpositionen

Temporale Präpositionen (Zeit): *am, um, im, vor, nach, seit, bis, von … bis*

am	Wochentag/Tagesabschnitt	am Montag, am Vormittag, ⚠ in der Nacht
um	Uhrzeit	um 8 Uhr, um halb 10, um 13 Uhr 30 Der Film beginnt um 20 Uhr.
im	Monat, Jahreszeit, Jahr	Im Juli ist es in Deutschland oft warm.
vor	• |	Es ist jetzt Viertel vor acht. Sie bringt vor der Arbeit die Kinder zur Kita.
nach	| •	Es ist zehn nach acht. Nach der Arbeit geht er einkaufen.
seit	• ⟶	Sie sind schon seit fünf Jahren in Frankfurt.
bis	⟶ •	Der Film geht bis 22 Uhr.
von … bis	• → •	Der Film geht von 20 Uhr bis 22 Uhr.

Lokale Präpositionen (Ort): *in, bei, nach, zu, aus, von*

in	Wo?	**In** Berlin gibt es viele Sehenswürdigkeiten.
bei		Ich bin **beim** Friseur.
nach	Wohin?	Ich fahre gern **nach** Berlin.
zu		Ich gehe **zum** Bahnhof.
aus	Woher?	Er kommt **aus** Italien.
von		Sie kommt heute spät **von** der Arbeit.

Präpositionen mit Dativ: *aus, bei, mit, nach, seit, von, zu, vor* (temporal)

aus: Ich gehe jeden Morgen um 8 Uhr aus dem Haus.

bei: Ich wohne bei meinen Eltern.

mit: Ich fahre mit dem Bus.

nach: Nach dem Deutschkurs möchte ich eine Arbeit suchen.

seit: Ich bin schon seit einem Jahr in Deutschland.

von: Von der Haltestelle muss ich noch 5 Minuten zu Fuß gehen.

zu: Ich fahre zur Sprachschule.

vor: Vor dem Deutschkurs gehe ich joggen.

bei dem	=	beim	zu dem	=	zum
von dem	=	vom	zu der	=	zur

Präpositionen mit Akkusativ: *für, um, durch, ohne*

für: Sie brauchen für den Antrag einen Pass und ein Foto.

um: Man kann sehr gut um den Schluchsee wandern.

durch: Der Zug fährt durch den Tunnel.

ohne: Sie trinkt den Kaffee ohne Zucker.

⚠ *Ohne verwendet man meistens ohne Artikel.*

Wechselpräpositionen mit Akkusativ und Dativ: *in, an, auf, hinter, vor, über, unter, neben, zwischen*

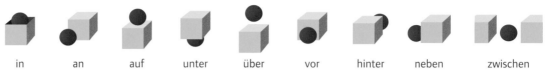

| in | an | auf | unter | über | vor | hinter | neben | zwischen |

Wohin? → Präpositionen mit Akkusativ		Wo? → Präpositionen mit Dativ	
in den Wald	in das = ins	im Wald	in dem = im
in das Restaurant	an das = ans	im Restaurant	an dem = am
in die Stadt		in der Stadt	
in die Geschäfte		in den Geschäften	

Sie geht in die Bäckerei.	In der Bäckerei sind viele Leute.
Der Bus fährt langsam an die Haltestelle.	Der Bus steht an der Haltestelle.
Sie gehen auf die Straße.	Auf der Straße fahren viele Autos.
Wir gehen unter den Baum.	Unter dem Baum steht eine Bank.
Wir gehen über den Platz.	Über dem Platz fliegen viele Vögel.
Wir stellen die Mülltonnen vor das Haus.	Die Mülltonnen stehen heute vor dem Haus.
Wir stellen unsere Fahrräder hinter das Café.	Hinter dem Café ist ein Hof.
Ich stelle den Kinderwagen neben die Tür.	Der Kinderwagen steht neben der Tür.

Verben mit Präpositionen

Sie warten schon zehn Minuten auf den Bus.
Er möchte gerne an einem Fortbildungskurs teilnehmen.
Ich interessiere mich sehr für Frauenfußball.

Eine Liste mit den Verben mit Präpositionen finden Sie im Kursbuch (Gesamtband) auf Seite 236.

Fragewörter und Pronomen bei Verben mit Präpositionen

Fragen nach Sachen

• **Wofür** interessierst du dich?	• Woran denkst du?
• Ich interessiere mich <u>für Frauenfußball</u>.	• <u>Ans Wochenende</u>.
• Ah, dafür interessiere ich mich auch.	• Daran denke ich noch nicht.

Das Fragewort besteht aus „wo"+ Präposition: wovon, womit, wofür …
Wenn die Präposition mit einem Vokal beginnt ergänzt man ein „r": worauf, worüber …

Fragen nach Personen

Wenn man nach Personen fragt, benutzt man die Präposition + Fragewort für Personen
im Akkusativ: Über wen?, Für wen?, Auf wen? …
oder Dativ: Mit wem?, Von wem?, Zu wem? …

• Über wen sprecht ihr gerade?	• Mit wem bist du ins Kino gegangen?
• <u>Über die nette Nachbarin</u>.	• <u>Mit meiner Schwester</u>.

7 Wortbildung

Komposita

die Dame + der Mantel → der D<u>a</u>menmantel
der Sommer + das Kleid → das S<u>o</u>mmerkleid

Das letzte Wort in Komposita bestimmt den Artikel.
Der Wortakzent ist (fast) immer auf dem ersten Wort.

> Ich suche Herrenschuhe und Geschenkartikel.

Das Datum – Ordinalzahlen

1–19 + ten

am 1. – am **ersten**
am 2. – am zwei**ten**
am 3. – am **dritten**
am 4. – am vier**ten**
am 5. – am fünf**ten**
am 6 – am sechs**ten**
am 7. – am **siebten**
am 8. – am ach**ten**
am 9. – am neun**ten**
am 10. – am zehn**ten**
am 16. – am sechzehn**ten**
am 19. – am neunzehn**ten**

20 + sten

am 20. – am zwanzig**sten**
am 21. – am einundzwanzig**sten**
am 22. – am zweiundzwanzig**sten**
am 30. – am dreißig**sten**

- Wann sind Sie geboren?
- Am 5.3.1987. (Am fünften Dritten neunzehnhundertsiebenundachtzig.)
- Welcher Tag ist heute?
- Heute ist der 3.10. (Heute ist der dritte Zehnte.)

8 Wörter im Satz

Sätze und W-Fragen

Das konjugierte Verb steht immer auf Position 2.

	Position 2	
Woher	kommen	Sie?
Ich	komme	aus Costa Rica.
Wie	heißt	Ihr Sohn?
Er	heißt	Lukas.
Was	sind	Sie von Beruf?
Ich	bin	Lehrerin.

	Position 2	
Am Wochenende	besuche	ich meine Freunde.
Ich	besuche	**am Wochenende** meine Freunde.
Dann	machen	wir eine Radtour.
Wir	machen	**dann** eine Radtour.

Ja/Nein-Fragen (Satzfragen)

Kommen	Sie aus München?
Haben	Sie morgen Zeit?
Möchtest	du einen Kaffee?
Kennt	ihr Berlin?

Satzklammer: Trennbare Verben, Modalverben und Perfekt

Trennbare Verben

Das konjugierte Verb steht auf Position 2, der andere Verbteil (Präfix, Infinitiv, Partizip) steht am Satzende.

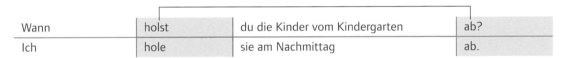

Wann	holst	du die Kinder vom Kindergarten	ab?
Ich	hole	sie am Nachmittag	ab.

Modalverben

Frau Stein	muss	am Morgen früh	aufstehen.
Frau Deck	will	am Wochenende nicht	arbeiten.

Perfekt

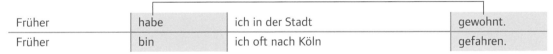

Früher	habe	ich in der Stadt	gewohnt.
Früher	bin	ich oft nach Köln	gefahren.

Ja - Nein - Doch

Hast du Zeit?	☺ Ja, natürlich.
	☹ Nein, leider nicht.
Hast du **keine** Zeit?	☺ **Doch**, ich habe Zeit.
	☹ Nein, ich habe keine Zeit.
Kommst du **nicht** mit?	☺ **Doch**, ich komme mit.
	☹ Nein, ich kann leider nicht mitkommen.

Vergleichssätze

≠ Komparativ + *als*

In Deutschland ist es im Sommer wärm**er als** im Winter.

= *genauso* + Adjektiv + *wie*

In Lübeck regnet es genauso viel wie in Bremen.

Verneinung mit *nicht* oder *kein*

ein → *kein*	Ich habe einen Tisch / ein Sofa / eine Waschmaschine / Stühle. Ich habe keinen Tisch / kein Sofa / keine Waschmaschine / keine Stühle.
⚠ Auch *kein* bei:	Ich habe kein Geld / keine Zeit / keine Lust. Ich mag keinen Kaffee / keinen Käse.
Sonst immer *nicht*:	Heute kommt er. Morgen kommt er nicht. Sie isst gern Käse. Sie isst nicht gern Käse. Ich arbeite viel. Ich arbeite nicht viel.

Verben und Ergänzungen

Verben mit Nominativ und Akkusativ

Ich **Nominativ** (habe), einen Sohn. **Akkusativ**

Es gibt viele Verben mit Nominativ und Akkusativ: brauchen, sehen, nehmen, besichtigen, möchten, …

Verben mit Nominativ, Dativ und Akkusativ

Ich **Nominativ** (schenke), meiner Mutter **Dativ (Person)** einen Blumenstrauß. **Akkusativ (Sache)**

Es gibt viele Verben mit Nominativ, Akkusativ und Dativ: bringen, schenken, holen, erklären, mitbringen, zeigen, geben …

Verben mit Nominativ und Dativ

Wir **Nominativ** (helfen) euch. **Dativ**

Es gibt nur wenige Verben mit Nominativ und Dativ: danken, gehören, gefallen, …

Grammatik im Überblick

Ein Verb mit Nominativ und Nominativ

Das   (ist)   ein Mantel.

Nominativ   *Nominativ*

Verben mit Präpositionen

Ich   (freue)   mich   auf das Wochenende.

Nominativ   *Ergänzung mit Präposition*

Satzverbindungen mit *aber – denn – und – oder*

	0	1	2	
Heute habe ich keine Zeit,	aber	morgen	komme	ich gerne.
Ich möchte ins Kino gehen,	denn	ich	möchte	den neuen James-Bond-Film sehen.
Heute sehen wir den James-Bond-Film	und	morgen	gehen	wir in die Disco.
Kommst du auch mit	oder		musst	du noch arbeiten?

Nebensätze

Im Nebensatz steht das konjugierte Verb immer am Ende. Trennbare Verben stehen zusammen am Satzende.

Nebensätze mit *weil*

Er findet das Internet praktisch,	weil	man viele Informationen	bekommt.
Sie findet das Internet nützlich,	weil	man viele Filme sehen	kann.

Nebensätze mit *dass*

Ich finde,	dass	es viele gute Fernsehsendungen	gibt.
Ich meine,	dass	Kinder im Fernsehen viel lernen	können.
Ich bin dagegen,	dass	Kinder viel	fernsehen.

Nebensätze mit *wenn*

Was machen Sie,	wenn	das Wetter schlecht	ist?
Ich sehe fern,	wenn	das Wetter schlecht	ist.

Nebensätze mit *damit*

Er macht einen Computerkurs,	damit	er bessere Chancen auf dem Arbeitsmarkt	hat.
Sie stellt den Wecker,	damit	sie nicht zu spät	kommt.

Indirekte Fragen

W-Frage	Weißt du,	wo	der Brief	ist?
	Weißt du,	wann	der Chef	kommt?
Ja/Nein-Frage	Können Sie mir sagen,	ob	die Stelle noch frei	ist?

Nebensatz vor Hauptsatz

Wenn	Maximilian sehr viel	lernt,	(dann) kann er ein sehr gutes Abitur bekommen.
Wenn	ich morgen Zeit	habe,	komme ich gerne.

Relativsätze

Ich suche ein Restaurant,	das	in der Nähe vom Bahnhof	liegt.
Wo ist der Schlüssel,	den	ich auf den Tisch	gelegt habe.
Es gibt ungefähr 600.000 Vereine,	in denen	viele Menschen aktiv	sind.

Der Relativsatz steht immer in der Nähe vom Bezugswort. Manchmal auch mitten im Satz:

Die sozialen Vereine, **für die** sich viele Menschen engagieren, helfen Menschen.

Bezugswort   *Relativsatz*

Hörtexte

Hier finden Sie alle Hörtexte, die nicht oder nicht vollständig im Arbeitsbuch abgedruckt sind oder die Sie nicht im Lösungsschlüssel finden.

1 Meine Geschichte

11a+b

- Wann sind Sie nach Deutschland gekommen?
- Ich bin 2011 nach Deutschland gekommen.
- Wo haben Sie da gewohnt?
- Zuerst habe ich in der Nähe von Kassel gewohnt, auf dem Land. Leider gibt es da nicht so viel Arbeit und ich habe keine Arbeit gefunden. Ich war etwas depressiv. Dann hat mein Onkel gesagt: Komm zu mir nach Frankfurt. Hier findest du bestimmt eine Arbeit. Ich bin also zu meinem Onkel nach Frankfurt umgezogen.
- Haben Sie in Frankfurt sofort eine Arbeit gefunden?
- Nein, in Frankfurt habe ich erst einmal einen Sprachkurs gemacht. Im Sprachkurs habe ich nette Leute kennengelernt. Ich habe auch die Prüfung gemacht. Beim zweiten Mal habe ich sie geschafft. Dann habe ich auch eine Arbeit gefunden. Ich arbeite jetzt als Verkäufer.
- Und wie geht es Ihnen jetzt?
- Ich bin ganz zufrieden, aber ich verdiene leider nicht so viel Geld, vielleicht finde ich noch eine andere Arbeit. Ich möchte gern wieder als Ingenieur arbeiten, so wie in meiner Heimat.

18

- Ich habe so wenig Kontakt mit Deutschen.
- Du kannst mit anderen Ausländern auf Deutsch sprechen.
- Ich vergesse immer die neuen Wörter.
- Schreib doch die Wörter auf Wortkarten.
- Die Deutschen sprechen so schnell.
- Dann sag doch: Bitte sprechen Sie langsam.
- Ich spreche nicht gern. Ich habe immer Angst.
- Hab doch keine Angst. Fehler sind doch nicht schlimm.

Wichtige Wörter 4

1 Sprechen Sie Sätze auf Deutsch und nehmen Sie sie auf. Dann kontrollieren Sie, was sie gesagt haben.

2 Kleben Sie Zettel an die Möbel in Ihrer Wohnung. Dann lernen Sie die Wörter schneller.

3 Machen Sie selbst ein Wörternetz zu einem bestimmten Thema.

4 Deutsch lernt man nicht nur im Deutschkurs. Machen Sie zum Beispiel einen Kochkurs. Dann kommen Sie mit anderen Leuten in Kontakt und sprechen viel Deutsch.

5 Schreiben Sie neue Wörter auf Karteikarten. Lernen Sie jeden Tag 10 Wörter.

6 Machen Sie für Grammatikregeln geeignete Merksätze.

7 Sprechen Sie Deutsch beim Laufen oder beim Sport, am besten in ganzen Sätzen. Nehmen Sie schwierige Wörter auf und hören Sie die Sätze ab. So bleiben Sie fit, nicht nur beim Deutschlernen.

8 Sprechen Sie laut mit Ihrem Spiegelbild.

9 Lernen Sie feste Wortverbindungen, zum Beispiel Nomen und Verben zusammen.

10 Im Bus, im Café und auf der Straße: Betrachten Sie Ihre Umgebung und überlegen Sie: Wie heißen die Dinge?

2 Medien

4b

- Frau Kostas, Sie sind Buchhalterin. Wie ist das bei Ihnen? Arbeiten Sie auch viel am Computer und nutzen oft das Internet?
- Ja, natürlich arbeite ich in der Firma oft mit dem Internet. Der Kontakt mit den Kunden geht bei mir natürlich per E-Mail. Ich sitze den ganzen Tag am Computer und arbeite mit vielen verschiedenen Programmen und recherchiere im Internet.
- Und nutzen Sie das Internet auch oft in Ihrer Freizeit?
- Nein, in meiner Freizeit gehe ich selten ins Internet. Ich sitze schon bei meiner Arbeit den ganzen Tag am Computer, da habe ich in der Freizeit keine Lust mehr. Ich chatte zum Beispiel nicht mit meinen Freunden, ich rufe sie an oder wir treffen uns. Ich möchte auch nicht immer erreichbar sein. Ich brauche auch meine Ruhe. Und ich kaufe nicht online ein. Ich gehe lieber mit einer Freundin zusammen in die Stadt shoppen. Die Zeitung lese ich auch lieber auf Papier, gemütlich mit einer Tasse Kaffee. Ich brauche das Internet in meiner Freizeit nur selten.

12b

Und dann sind wir am Ende unserer Sendung und schalten gleich rüber zu Marco Marino mit den Nachrichten. Nach den Nachrichten und dem Sportjournal um 22 Uhr 15 können Sie dann den heutigen Krimi sehen. „Die Frau am See" mit Alexandra Markovic. Und noch ein Hinweis. Auf vielfachen Wunsch wiederholen wir um 23 Uhr 45 die Dokumentation „Die Wüste lebt." Wir wünschen Ihnen einen schönen Abend.

13

- Wollen wir heute Abend fernsehen?
- Ja, ich möchte heute unbedingt die Nachrichten sehen.
- Die Nachrichten können wir um 8 Uhr sehen. Und dann kommt ein Tierfilm.
- Tierfilme finde ich langweilig.
- Okay, es gibt auch einen Krimi.
- Ja, Krimis sehe ich gerne. Wann fängt der Krimi an?
- Direkt nach den Nachrichten.
- Gut, dann sehen wir erst die Nachrichten und dann den Krimi.

Wichtige Wörter 6

- im Internet recherchieren – Ich recherchiere im Internet.
- eine App herunterladen – Ich lade eine App herunter.
- Computerspiele spielen – Ich spiele Computerspiele.
- einen Text scannen – Ich scanne einen Text.
- eine Datei speichern – Ich speichere eine Datei.
- einen Text drucken – Ich drucke einen Text.
- Online-Banking machen – Ich mache Online-Banking.
- ein Kabel anschließen – Ich schließe ein Kabel an.
- einen Film sehen – Ich sehe einen Film.
- ein Gerät aufladen – Ich lade ein Gerät auf.
- einen Datei löschen – Ich lösche eine Datei.
- mit einem Musikprogramm arbeiten – Ich arbeite mit einem Musikprogramm.
- den Computer reparieren – Ich repariere den Computer.
- einen Termin am Tablet eintragen – Ich trage einen Termin am Tablet ein.
- ein E-Book lesen – Ich lese ein E-Book.
- Bilder bearbeiten – Ich bearbeite Bilder.

Wochenende

1

- Herr Pazzi, wie sieht Ihr Wochenende aus?
- Am Samstagvormittag putze ich immer die Wohnung. Das macht keinen Spaß, aber es muss sein. Am Nachmittag mache ich Sport, das heißt ich jogge eine Stunde. Und am Abend gehe ich mit meiner Freundin essen.
- Und am Sonntag?
- Am Nachmittag muss ich die Waschmaschine reparieren, denn die ist seit einer Woche kaputt und am Vormittag helfe ich meinem Vermieter im Garten. Am Montag haben wir einen Test in unserem Deutschkurs und deshalb will ich Sonntagabend für den Test lernen.

13

1 • Guten Tag, ich möchte gerne für Samstagabend einen Tisch reservieren.
  • Ja, gerne. Für wie viele Personen?

2 • Wir möchten gerne bezahlen.
  • Zusammen oder getrennt?

3 Wo möchten Sie gerne sitzen? Drinnen oder draußen auf der Terrasse oder im Garten?

4 Als Nachspeise haben wir heute Obstsalat mit Eis und Sahne im Angebot.

5 Isst du lieber den Sauerbraten oder Hähnchen mit Reis und Gemüse?

6 • Wie viel macht das?
  • Das sind dann zusammen 42,80.

16

- Wir möchten gerne bezahlen.
- Zusammen oder getrennt?
- Zusammen, bitte
- Das waren zwei Stück Käsekuchen, ein Kaffee und ein Tee.
- Ja, und zwei Gläser Mineralwasser.
- Ja, richtig. Das macht dann 15,50 Euro.
- Hier bitte, 17 Euro. Stimmt so.
- Vielen Dank, Auf Wiedersehen.

17

- Selvi, was magst du essen?
- Ich glaube, ich nehme die Tomatensuppe, denn die schmeckt mir immer. Dann nehme ich noch das Hähnchen mit Nudeln und Gemüse.

- Also, ich nehme kein Hähnchen, denn das hatte ich schon gestern. Ich nehme die Spaghetti.
- Was willst du trinken, Filipp?
- Ich nehme ein Glas Wein.
- Ich habe gehört, dass der Wein hier nicht so gut ist. Ich nehme einen Apfelsaft.
- Dann nehme ich ein Bier.
- Willst du keine Suppe als Vorspeise?
- Doch, ich nehme auch die Tomatensuppe. Nach dem Hähnchen esse ich dann noch ein Vanilleeis.

④ Schule

2b+c

- Liebe Hörerinnen und Hörer, unser Thema ist heute: Schule früher und heute. Dazu ist einer unseren treuen Hörer zu uns zu Besuch gekommen und möchte uns etwas erzählen. Guten Tag, Herr Vogel.
- Guten Tag.
- Herr Vogel, Sie sind jetzt 65 Jahre alt, können Sie uns erzählen, wie die Schule früher war?
- Ja, klar, gerne. Also, was möchten Sie wissen?
- Zuerst einmal, hatten Sie einen Lehrer oder eine Lehrerin?
- Ganz am Anfang hatte ich eine Lehrerin, ich weiß noch genau, das war Frau Peters, sie war sehr jung und sehr beliebt.
- Und streng?
- Nein, sie war nicht so streng. Später hatte ich natürlich viele verschiedene Lehrer und Lehrerinnen, die meisten waren eher streng, aber viele waren auch sehr beliebt bei uns Schülern.
- Und wie lange hatten Sie Unterricht?
- Nicht so lange wie die Schüler heute. Unser Unterricht hatte jeden Morgen um 8 Uhr angefangen und in den ersten Jahren mittags um 12 aufgehört. Zum Mittagessen war ich immer zu Hause. Natürlich habe ich nachmittags noch Hausaufgaben gemacht. Aber das war meistens nicht so viel.
- Und was war Ihr Lieblingsfach?
- Mein Lieblingsfach? Am Anfang hatte ich kein Lieblingsfach, ich habe alles gerne gemacht. Später hatte ich zwei Lieblingsfächer, Sport und Physik. Ich habe immer gerne Fußball gespielt. Und Physik finde ich auch heute noch spannend. Deshalb bin ich ja auch Ingenieur geworden.

4a

- Frau Ahlers, Sie haben einen Sohn. Was macht er jetzt?
- Also unser Sohn Filip geht jetzt in die vierte Klasse und wir möchten, dass er danach aufs Gymnasium geht.
- Ist er gut in der Schule?
- Er hat gute Noten, nur in Mathematik muss er besser werden. Wenn er eine Zwei hat, dann kann er aufs Gymnasium gehen.
- Was soll er später einmal machen?
- Was er nach dem Gymnasium machen soll? Ach, das wissen wir noch nicht, das muss er entscheiden. Er sagt, er möchte Arzt werden. Dann muss er aber sehr gute Noten haben und an der Universität studieren. Das Studium dauert auch sehr lange. Aber dann, als Arzt, kann man sehr gut Geld verdienen.

9c

Was machen Sie, wenn Sie müde sind?

Was machen Sie, wenn Sie Fieber haben?

Was machen Sie, wenn die Hose zu klein ist?

Was machen Sie, wenn Sie nicht schlafen können?

Was machen Sie, wenn Sie nicht fit sind?

Was machen Sie, wenn am Wochenende das Wetter schön ist?

Was machen Sie, wenn Sie zwei Wochen Urlaub haben?

16

- Wie war Ihre Schulzeit, Frau Sánchez?
- Also, meine Schulzeit war schön. Unsere Lehrer waren ziemlich streng, Wir mussten viel lernen. Aber die Prüfungen waren nicht so schwierig wie heute. Wir konnten leichter einen Abschluss bekommen als die Kinder heute. Nachmittags konnten wir verschiedene Kurse wählen, zum Beispiel Basketball, Tanzen oder Schach. Aber wir durften keine Hausaufgaben in der Schule machen, die mussten wir immer zu Hause machen. Manchmal wollten wir an den Strand gehen und schwimmen, besonders, wenn es heiß war. Das durften wir leider nicht. Aber eigentlich konnte ja nichts passieren. Das Meer war immer ruhig.

Station 1

Teil 1

Beispiel

Guten Tag, hier ist die Firma Elektro Schmidt. Sie haben bei uns Ihren Fernseher zur Reparatur abgegeben. Er ist jetzt fertig und Sie können ihn abholen. Unsere Öffnungszeiten sind von 9.00–18.30 Uhr, Mittagspause von 13.00 bis 14.00 Uhr. Ja, und der Preis für die Reparatur ist 102 Euro.

1 Hallo Elwa. Immer dieser Anrufbeantworter. Hier ist Susanne. Du, Elwa wir wollen doch heute Abend ins Kino. Ich habe die Karten reserviert. Das Kino fängt um acht Uhr an, man muss die Karten aber schon um sieben Uhr an der Kasse abholen. Kannst du das machen? Ich kann erst kurz vor acht das sein. Danke und bis später.

2 Guten Tag. Hier ist die Hausarztpraxis von Dr. Schneider. Wir sind im Urlaub. Am Montag, den 30. August ist unsere Praxis wieder geöffnet. In dringenden Fällen können Sie einen Termin bei unserer Kollegin Frau Dr. Schwarz in der Kaiserstraße 42 machen. Die Telefonnummer ist 069 24 43 77.

3 Verehrte Fahrgäste. In wenigen Minuten erreichen wir Hamburg. Leider hat unser Zug eine Verspätung von zwanzig Minuten. Sie erreichen noch den Regionalexpress 21408 Richtung Lübeck, Abfahrt 8.11 Uhr von Gleis 7 und den Regionalexpress 21008 Richtung Kiel, Abfahrt 8.20 Uhr von Gleis 6. Der ICE 705 nach Berlin, Abfahrt 8.06 Uhr konnte nicht mehr warten. Reisende nach Berlin nehmen bitte den ICE 175 Abfahrt 8.33 Uhr aus Gleis 8. Für weitere Informationen beachten Sie bitte die Lautsprecheransagen am Bahnhof.

4 Verehrte Fahrgäste. Bitte beachten Sie: Wegen Bauarbeiten hält die Linie 4 bis zum 20. September nicht an der Haltestelle Eschholzstraße. Umsteigemöglichkeit Richtung Hauptbahnhof und Innenstadt ist die Haltestelle Technisches Rathaus, Linie 1 und 3.

Teil 2

5 Jetzt auch in Hamburg! Fitnessline – das besondere Fitnessstudio. Eröffnung am 27. März in der Speicherstadt. Kostenlose Probestunde, individuelle Trainingsprogramme – wir haben für jeden den richtigen Kurs.

6 Und hier noch das Wetter für morgen. Im Süden den ganzen Tag Regen. In der Mitte Wechsel zwischen Sonne und Wolken. Im Norden vormittags Sonne, am Nachmittag ziehen Wolken auf, am Abend kann es vereinzelt zu Regenfällen kommen, es ist sehr windig. Temperaturen nachts bis 9 Grad, tagsüber bis 23 Grad, am Oberrhein bis 25 Grad.

7 Es folgen die Verkehrsnachrichten. A1 Dortmund Richtung Köln zwischen Kreuz Wuppertal-Nord und Wuppertal-Langenfeld Baustelle 4 km Stau. A 43 Recklinghausen Richtung Wuppertal zwischen Sprockhövel und Kreuz Wuppertal-Nord, nach Unfall 2 km stockender Verkehr.

8 Und hier ein Programmhinweis. Bitte achten Sie auf folgende Programmänderung. Heute Abend müssen der Krimi Polizeiruf 110 und auch die Talkshow mit Günter Will leider ausfallen. Diese Sendungen können Sie zu einem späteren Zeitpunkt sehen. Sie sehen heute Abend eine Sendung zur Fußball-Europameisterschaft.

9 Und hier eine Information der Markbetriebe. Am nächsten Samstag ist Feiertag. Deshalb gibt es den Wochenmarkt diese Woche am Freitag von 8.00 bis 19.00 Uhr.

Teil 3

Beispiel

- Guten Tag, was kann ich für Sie tun?
- Ich suche einen Mantel, gerne in Braun.
- Mäntel haben wir. Welche Größe haben Sie?
- 44.
- Moment, ich schaue mal… Ja, hier ist ein brauner Mantel in Größe 44. Wollen Sie ihn anprobieren?
- Ja, gerne… Na ja, eigentlich gefällt mir der Mantel gut. Aber 379 Euro finde ich doch etwas teuer. Haben Sie noch andere Mäntel in Braun?
- Nein, im Moment haben wir nur diesen Mantel. Aber nächste Woche bekommen wir neue Ware.
- Vielen Dank. Dann warte ich noch.

10 und 11

- Guten Tag, Ich habe gestern bei Ihnen dieses Radio gekauft.
- Ja, richtig. Ist etwas nicht in Ordnung?
- Ja, es funktioniert nicht.
- Darf ich mal sehen? Moment… hier ist eine Steckdose. So, jetzt einschalten. Ja, Sie haben Recht. Da passiert nichts.

- Kann ich ein neues bekommen? Ich habe hier auch den Kassenbon.
- Natürlich. Ich gebe Ihnen ein anderes Radio.

12 und 13

- Guten Tag, Herr Peters.
- Guten Tag, Herr Varese. Das ist wirklich ärgerlich. In den Mülltonnen ist kein Platz.
- Ja, das habe ich auch schon erlebt. Die Mülltonnen sind viel zu klein und immer voll. Die Hausverwaltung muss das ändern.
- Ja, wir bezahlen Miete und Nebenkosten, aber die Hausverwaltung macht nichts.
- Ich schlage vor, dass wie einen Brief an die Hausverwaltung schreiben. Wenn Sie Zeit haben, können Sie heute Abend bei mir vorbeikommen.
- Einverstanden. Dann bitten wir die Hausverwaltung, dass sie bei der Stadtverwaltung noch zwei Mülltonnen bestellt.

14 und 15

- Sakine Yildirim.
- Guten Tag, Frau Yildirim. Hier spricht Bianca Busch. Ich bin die Klassenlehrerin von Mahmud.
- Guten Tag, Frau Busch.
- Ich rufe an, weil die Noten von Ihrem Sohn Mahmud in den letzten Monaten ziemlich schlecht geworden sind.
- Ja, das habe ich auch schon gesehen. Besonders in Erdkunde ist er sehr schlecht. Leider kann ich ihm da nicht helfen, denn mein Deutsch ist nicht gut genug.
- Das ist auch nicht nötig. Es gibt Angebote für Schüler mit Problemen. Ich schlage vor, Sie kommen mit Mahmud einmal zu mir in die Schule und dann sprechen wir über die Angebote. Haben Sie am nächsten Dienstag um 15 Uhr Zeit?
- Ja, das geht.
- Also dann bis nächsten Dienstag. Auf Wiederhören, Frau Yildirim.

16 und 17

- Hier spricht Helmut Asal.
- Guten Tag, mein Name ist Kurt Waldvogel. Ich habe Ihre Wohnungsanzeige gelesen. Ist die Wohnung noch frei?
- Ja, sie ist noch frei.
- Ich habe einige Fragen. In der Anzeige steht 450 Euro plus Nebenkosten. Wie hoch sind denn die Nebenkosten?

- Die Nebenkosten liegen bei ungefähr 120 Euro.
- Außerdem schreiben Sie, dass die Wohnung in Landwasser liegt. Da sind einige sehr ruhige Straßen, aber die Hauptstraße mit der Straßenbahn und den Bussen ist sehr laut. Wo liegt die Wohnung genau?
- Im Auerweg.
- Sehr gut, da ist es ruhig. In welchem Stock ist die Wohnung?
- Im Erdgeschoss.
- Ach, das ist nicht so gut. Ich wohne lieber im zweiten oder dritten Stock. Trotzdem vielen Dank für die Informationen.

5 Am Arbeitsplatz

1b

- Ich wollte früher Pilotin werden, weil ich Flugzeuge und Technik mag. Aber meine Augen waren nicht gut genug, deshalb durfte ich nicht Pilotin werden. Ich habe dann Maschinenbau studiert. Jetzt bin ich Ingenieurin in einer Automobilfirma und bin sehr zufrieden mit meiner Arbeit.
- Ich wollte gerne Erzieher werden. Aber meine Eltern haben gesagt, dass man als Erzieher nicht so viel Geld verdient. Ich habe dann eine Ausbildung als Krankengymnast gemacht. Jetzt habe ich meine eigene Praxis, die Arbeit macht mir Spaß und ich verdiene auch nicht schlecht.

18

- Entschuldigung, ist der Platz noch frei?
- Ja, klar. Ich habe Sie hier noch nicht gesehen. Sind Sie neu in der Firma?
- Nein, früher habe ich in der Abteilung in Hamburg gearbeitet.
- Und wo gefällt es Ihnen besser? Hier in Berlin oder in Hamburg?
- In Hamburg war es nicht schlecht, aber hier ist es interessanter.
- Übrigens mein Name ist ...
- Ich heiße Doreen Berten.
- Wenn Sie Fragen haben, helfe ich Ihnen gerne.

21

- Willkommen zu „Arbeitswelten – Leben in Betrieben". Thema heute: der Betriebsausflug. Viele Betriebe machen einmal pro Jahr einen Betriebsausflug. Sie machen eine Bus- oder Schiffstour und besichtigen Sehenswürdigkeiten. Oder die Mitarbeiter der Firma werden sportlich aktiv, fahren Fahrrad, klettern oder machen eine Kanutour. Oft bezahlt die Firma die Aktivitäten und die Mitarbeiter müssen keinen Urlaub nehmen. Das klingt gut. Aber sind Betriebsausflüge beliebt? Was sagen die Arbeitnehmer? Wir haben hier in Frankfurt vier Menschen befragt.

1 ● Entschuldigung, haben Sie einen Moment Zeit? Wie finden Sie Betriebsausflüge?
 ● Betriebsausflüge? Ich mag Betriebsausflüge. Es ist gut, wenn man die Kollegen und Kolleginnen nicht nur bei der Arbeit sieht. Man muss auch private Kontakte haben, dann lernt man die Kollegen besser kennen und die Arbeit macht mehr Spaß.

2 ● Wie ist es bei Ihnen? Machen Sie gerne Betriebsausflüge mit?
 ● Betriebsausflüge sind eigentlich gut, aber es ist wichtig, dass alle Kollegen mitkommen, auch die Chefs. Letztes Jahr ist unser Chef nicht mitgekommen. Er hatte einen wichtigen Termin in Berlin. So hat der Betriebsausflug ohne den Chef stattgefunden, das war sehr schade.

3 ● Sind für Sie Betriebsausflüge wichtig? Fahren Sie immer mit?
 ● Ich finde, dass Betriebsausflüge manchmal gut und manchmal auch schlecht sind. Wichtig ist, dass das Programm gut ist. Bei unserem letzten Betriebsausflug haben wir ein Museum besucht, ein anderes Mal haben wir eine Schiffstour gemacht. Das war sehr interessant. Aber wenn wir nur eine Wanderung machen, dann gehe ich nicht mit.

4 ● Entschuldigung, ich habe eine Frage: Wie finden Sie Betriebsausflüge?
 ● Betriebsausflüge mag ich nicht. Ich bleibe dann immer zu Hause. Ich sehe meine Kollegen jeden Tag bei der Arbeit. Das ist genug. Es ist doch langweilig, wenn die Arbeitskollegen aus der ganzen Firma auch in der Freizeit zusammen sind! In meiner Freizeit treffe ich lieber meine Freunde.

Wohnen nach Wunsch

1c+d

1 ● Herr Bach, wie wohnen Sie?
 ● Wir wohnen jetzt sehr schön. Wir haben eine Wohnung in einem Hochhaus, im fünften Stock. Die Wohnung ist sehr schön groß und sehr hell. Wir haben jetzt auch einen Balkon.

Das ist wichtig für uns, denn wir sitzen im Sommer abends gern draußen. Der Balkon geht nach Westen, und wenn wir abends von der Arbeit zurückkommen, dann haben wir noch Sonne. Und hinter dem Haus ist ein Hof mit einem Spielplatz. Unser Sohn kann auch allein runtergehen und dort spielen. Wir können ihn vom Balkon aus sehen. Das ist sehr praktisch. Wir wohnen sehr gern hier.

2 ● Frau Kaven, wo liegt Ihre Wohnung?
 ● Sie liegt ziemlich zentral, ganz in der Nähe vom Bahnhof. Unsere Straße ist eine Einkaufsstraße, es gibt viele Geschäfte ganz in der Nähe. Das ist sehr praktisch, wir brauchen kein Auto, wir können alles zu Fuß oder mit öffentlichen Verkehrsmitteln machen. Mein Mann fährt mit der U-Bahn zur Arbeit und ich fahre mit dem Fahrrad, ich brauche nur zehn Minuten. Na ja, und wenn wir abends ausgehen oder ins Kino gehen wollen, dann ist das auch kein Problem. Bei uns in der Nähe gibt es drei Kinos und viele Restaurants. Mir gefällt es hier.

3 ● Herr Müller, wo wohnen Sie?
 ● Wir haben früher in der Stadt gewohnt, aber jetzt haben wir zwei kleine Kinder. Sie sind 3 und 5 Jahre alt. Deshalb haben wir uns ein Haus auf dem Land gesucht, in einem kleinen Dorf. Ich brauche jetzt lange zur Arbeit, ich fahre fast eine Stunde, das ist natürlich ein Nachteil. Meine Frau hat Glück, sie ist Lehrerin und kann in der Schule im Dorf arbeiten. Und unser Haus ist wunderschön. Wir haben einen großen Garten hinter dem Haus, und die Straße vor dem Haus ist ruhig, da fahren nicht so viele Autos. Das ist gut für die Kinder. In der Stadt hatte ich immer Angst, dass die Kinder auf die Straße laufen. Hier im Dorf ist das kein Problem, es gibt nicht so viele Autos in unserer Straße. Ich bin sehr froh, dass wir jetzt hier wohnen.

7

 ● Meier-Angermann.
 ● Guten Tag, mein Name ist… Ich habe Ihre Anzeige in der Zeitung gelesen.
 ● Die 3-Zimmerwohnung in der Mozartstraße?
 ● Ja, genau. Ist die Wohnung noch frei?
 ● Ja, sie ist noch nicht vermietet, aber es gibt schon ein paar Interessenten.
 ● Kann ich die Wohnung besichtigen?
 ● Gern, kommen Sie doch heute Abend um sieben.

- Oh, … aber ich arbeite bis 19 Uhr. Kann ich auch etwas später kommen?
- Dann sagen wir um acht Uhr.
- Das geht. Vielen Dank, bis heute Abend.

Wichtige Wörter 8

- Ach ja, Ranjit, du ziehst ja nächste Woche um. Das wird sicher viel Stress!
- Oh ja, aber zum Glück muss ich nicht alles allein machen. Meine Freunde helfen mir. Aber einige Sachen muss ich trotzdem selbst machen.
- Was denn zum Beispiel?
- Die Umzugskartons packe ich zum Beispiel selbst ein und in der neuen Wohnung packe ich sie auch wieder selbst aus. Und ich räume meine Bücher ins Regal. Aber ich kann die Möbel nicht alleine abbauen, da bekomme ich Hilfe. Außerdem lasse ich die Möbel transportieren.
- Wie meinst du das?
- Ich habe viele Möbel und ich brauche einen ziemlich großen LKW. Aber ich habe keinen Führerschein. Zum Glück hat Mario einen, er fährt den LKW mit den Möbeln zur neuen Wohnung.
- Das ist super nett von Mario.
- Ja! Aber meine Freunde können mir nicht bei allen Sachen helfen. Ich muss die Wohnung renovieren und die Zimmer lasse ich von einem Maler streichen. Und dann lasse ich den Herd von einem Elektriker anschließen. Das will ich nicht selbst machen und das sollen auch meine Freunde nicht machen, es ist zu gefährlich. Ich will …

7 Feste feiern

4

1 Hallo Herr Doktor Brinkmann. Hier spricht Sammy Schmidt. Wir müssen noch unser Firmenjubiläum planen. Wir feiern es jetzt am 29.7., also Ende Juli. Der Beginn sollte um 19 Uhr sein. Wir feiern im Hotel zu Post. Aber wir haben noch kein Programm. Können Sie mich heute noch zurückrufen?

2
- Sag mal Carla, kommst du auch zu dem Termin beim Chef?
- Welcher Termin?
- Na, der Termin nächste Woche am 20. Mai.
- Ach ja, richtig. Herr Özbek hat mich auch eingeladen, aber der Termin ist um 16.00 Uhr. Da habe ich einen Kundentermin. Ich kann nicht kommen. Gehst du hin?

- Ja. Dann gehen also nur ich, Frau Pustola und Frau Nielsen zum Chef. Schade, dass du nicht kommst.

3
- Mama und Papa, am 20. Juni ist unser Schulfest. Kommt ihr auch?
- Natürlich kommen wir, Markus. Wann beginnt es denn genau?
- Um 15.00 Uhr.
- Markus, ich muss bis 16.00 Uhr arbeiten. Mama und ich kommen also etwas später.
- Das ist kein Problem. Das Fest geht bis zum Abend …

6b

1
- Welcher Tag ist heute?
- Heute ist Freitag, der fünfte Juni.
- Es ist schon Juni?
- Ja, der 5.6.

2
- Sag mal, weißt du, welcher Tag heute ist?
- Heute ist Mittwoch, der achte Juli.

3
- Ist heute der einundzwanzigste oder der zweiundzwanzigste?
- Warte mal, gestern hatte Lisa Geburtstag, das war der zwanzigste. Also ist heute der einundzwanzigste.
- Okay, also heute ist der 21.5.20…

15

- Sie sind immer so freundlich.
- Danke schön, Sie auch.

- Die Hose ist toll!
- Wirklich? Vielen Dank für das Kompliment.

- Ihre Kinder sind immer so höflich.
- Meinen Sie?

- Du siehst heute fantastisch aus!
- Danke, du auch.

- Es freut mich, dass ich Sie hier treffe.
- Ich freue mich auch.

8 Neue Chancen

3

- Guten Tag, Herr Gause.
- Guten Tag, Frau Speckowius. Nehmen Sie doch bitte Platz.
- Danke. Ich bin heute gekommen, weil ich mich über meine Berufschancen und Stellenangebote informieren möchte. Ich mache jetzt einen

Computerkurs über neue Softwareprogramme. Der Kurs geht bis Februar.

- Haben Sie sich schon bei einer Firma beworben?
- Ja, bei Siemens, aber ich warte noch auf die Antwort. Haben Sie vielleicht noch andere Stellenangebote?
- Ja. Moment … Diese habe ich für Sie. Suchen Sie eine Vollzeitstelle?
- Nein, ich möchte in Teilzeit arbeiten.
- Dann kann ich Ihnen noch zwei Adressen geben.

14

- Berger-Institut, mein Name ist Kattwitz, guten Tag.
- Guten Tag, mein Name ist… Ich interessiere mich für den Computerkurs am Donnerstag.
- Es tut mir leid, der Kurs am Donnerstag ist schon voll. Können Sie auch am Dienstag?
- Ist am Dienstag nicht der Kurs für Anfänger? Ich möchte einen Kurs für Fortgeschrittene machen.
- Wir haben am Dienstag einen neuen Kurs für Fortgeschrittene.
- Dann möchte ich mich gern für diesen Kurs anmelden. Kann ich das telefonisch machen?
- Nein, das ist leider nicht möglich. Sie müssen bei uns vorbeikommen und ein Formular ausfüllen. Wir haben Montag bis Freitag von 16 bis 19 Uhr geöffnet.
- Gut, dann komme ich gleich vorbei. Danke schön.
- Gern geschehen.

16a

- Du, Sabina, bei den Kursangeboten gibt es noch einige Fehler, die müssen wir noch korrigieren.
- Ja, wo denn?
- Hier, der Computerkurs „Excel für Anfänger" beginnt am 3.5. um 19.30 Uhr und nicht um 18.30 Uhr. Der Tanzkurs „Wiener Walzer" beginnt am Dienstag, den 11.5. um 17.30 Uhr und nicht am Mittwoch. Und der Deutschkurs B2 beginnt am Donnerstag, den 13.5. um 9 Uhr und nicht um 8 Uhr.
- Okay, das habe ich jetzt korrigiert. Was …

16b

- Sprachinstitut Müller, mein Name ist Reiter, guten Tag.
- Guten Tag, mein Name ist Bielski. Ich interessiere mich für einen Englischkurs.
- Haben Sie bei uns schon einen Kurs gemacht?
- Nein, noch nicht. Ich habe privat Englisch gelernt.

- Dann müssen Sie bitte bei uns vorbeikommen und einen Test machen, damit wir den richtigen Kurs für Sie herausfinden.
- Ja, gern. Wann kann ich kommen?
- Unser Büro ist montags von 10 bis 12 Uhr und donnerstags nachmittags von 16 bis 18 Uhr geöffnet. Sie können jederzeit ohne Anmeldung vorbeikommen.
- Und wann fangen die neuen Kurse an?
- In drei Wochen, am 4.10., ist Kursanfang. Die Kurse dauern drei Monate.
- Gut, dann komme ich nächste Woche bei Ihnen vorbei. Ich danke für Ihre Informationen. Auf Wiederhören.
- Gern geschehen. Auf Wiederhören.

Wichtige Wörter 6

1

- Hallo Mario, was machst du denn hier an der Volkshochschule?
- Grüß dich, Carla, das kann ich dich auch fragen. Welchen Kurs machst du hier?
- Ich mache einen Yoga-Kurs. Weißt du, mein Berufsalltag ist sehr anstrengend und der Kurs ist für mich wirklich sehr entspannend. Danach fühle ich mich immer richtig gut. Der Kurs ist zweimal pro Woche. Und was machst du?
- Ich mache einen Gitarrenkurs. Gitarre spielen wollte ich schon immer und ich möchte gerne mehr über Musik lernen. Außerdem lernt mein Sohn jetzt auch Gitarre und dann kann ich mit ihm später vielleicht zusammen spielen.
- Ja, das ist eine gute Idee. Hast du nach dem Kurs noch etwas Zeit? Wir können noch zusammen etwas trinken gehen. Vielleicht so um acht Uhr?
- Ja, gerne. Mein Kurs endet um 8 Uhr. Wir treffen uns dann wieder hier, okay?
- Okay, bis später.

2

- Warum machst du eigentlich einen Kochkurs, Jack? Du kannst doch so gut kochen. Deine Einladungen zum Essen sind für alle Gäste immer ein großes Erlebnis!
- Vielen Dank für das Kompliment, aber ich bin noch nicht zufrieden. Der Kochkurs gibt mir viele neue Ideen. Und wenn Gäste kommen, kann ich immer etwas Neues anbieten. Aber du machst doch im Moment auch einen Kurs am Abend, oder? Was lernst du denn, Michaela?
- Ich mache einen Malkurs.
- Einen Malkurs? Seit wann interessierst du dich

für Kunst?

- Ja, das ist neu, dass ich mich für Kunst interessiere. Aber ich finde manchmal, dass ich zu wenig kreativ bin. Ich habe viele Hobbys, aber z. B. im Sport, da muss alles immer schnell gehen. Ich brauche auch ein Hobby mit etwas mehr Ruhe und Zeit, damit man nachdenken kann. Beim Malen kann ich mich gut entspannen. Das gefällt mir.

⑨ Gesund leben

4

1
- Gut, ein Rezept kann ich Ihnen jetzt noch nicht geben. Gehen Sie bitte noch einmal ins Wartezimmer. Meine Arzthelferin ruft Sie dann. Sie misst den Blutdruck und nimmt Blut ab. Das schicken wir dann ins Labor. Lassen Sie sich dann noch einen Termin geben für nächste Woche.
  - Okay, vielen Dank.

2
- Kommen Sie bitte herein! So, hat die Arzthelferin schon die Augen kontrolliert?
  - Ja, ich habe schon einen Sehtest gemacht.
  - Ah ja, ich sehe es, gut. Die Brille hat sie auch schon kontrolliert und den Blutdruck gemessen, sehr gut. Ja, dann ist alles in Ordnung, die Brille passt noch gut. Der Blutdruck ist auch in Ordnung. Ich gebe Ihnen noch das Rezept, hier bitte. Dann auf Wiedersehen und alles Gute.
  - Danke. Auf Wiedersehen.

10

- Guten Tag, was kann ich für Sie tun?
- Ich habe starken Husten.
- Waren Sie schon beim Arzt?
- Nein, noch nicht. Können Sie mir Medikamente empfehlen?
- Ja, gerne. Diese Tabletten zum Beispiel sind sehr gut.
- Haben die Tabletten Nebenwirkungen?
- Eigentlich nicht. Man kann manchmal leichte Magenprobleme bekommen. Aber das ist sehr selten.
- Und wie oft muss ich die Tabletten einnehmen?
- Zweimal täglich, nach dem Frühstück und nach dem Abendessen.
- Gut. Vielen Dank, die nehme ich.
- Gerne, das macht 12 Euro 99.

11a

- Wir sprechen heute in unserer Sendung über die eigene Hausapotheke. Wir haben verschiedene Personen gefragt, was in ihrer Hausapotheke ist, welche Medikamente wichtig sind und was man sonst noch so machen kann, wenn man krank ist. Die erste Anruferin ist Frau Schneider. Frau Schneider, guten Tag.
- Guten Tag. Also ich finde Medikamente wichtig. Bei schweren Krankheiten können sie Leben retten. Aber bei leichten Krankheiten geht es auch ohne Medikamente. Wenn zum Beispiel meine Tochter Schnupfen hat, dann gebe ich ihr nicht sofort Medikamente, auch keine Nasentropfen. Ich mache dann eine heiße Hühnersuppe. Das hilft sehr gut. Und ist viel gesünder als die Medikamente.
- Vielen Dank und Guten Tag zu unserem Anrufer 2. Herr Tanager!
- Guten Tag. Wenn meine Kinder Fieber haben, dann messe ich natürlich erst einmal mit dem Fieberthermometer. Wenn es nicht mehr als 38 Grad sind, dann gebe ich keine Medikamente. Die Kinder bleiben im Bett und bekommen einen heißen Tee oder auch eine heiße Zitrone. Sie sollen dann viel Ruhe haben, meistens schlafen sie viel. Wenn es nach zwei Tagen nicht besser ist, dann gehe ich natürlich zum Arzt. Aber bis jetzt war das noch nicht nötig. Das Fieber ist dann immer schon wieder zurückgegangen.

14

- Was sind die wichtigsten Regeln, wenn man ein gesundes Leben führen möchte? Können Sie uns Ratschläge geben? Frau Nerval fangen Sie an?
- Ja, gern. Viele sagen, dass Kaffee nicht gut für die Gesundheit ist. Ich finde, das ist Quatsch. Jeden Tag eine Tasse Kaffee am Morgen ist wichtig, weil man dann einen guten Start in den Tag hat. Der Körper braucht außerdem genug Vitamine. Deshalb sollten Sie viel Obst und Gemüse essen.
- Danke. Herr Bruckstätter, was denken Sie?
- Ich finde nicht so wichtig, was man isst. Das Essen sollte aber nicht zu fett sein. Aber ob man Fleisch oder Fisch oder Milchprodukte isst, das ist doch egal. Viel wichtiger für die Gesundheit ist, dass man sich bewegt. Ich habe viel Stress bei der Arbeit. Deshalb gehe ich jede Woche dreimal in ein Fitnessstudio und trainiere meine Muskeln. Und am Wochenende jogge ich. So bleibe ich fit.
- Okay, welchen Ratschlag haben Sie für uns, Frau Mangelsdorff?

- Wichtig ist, dass man nicht zu viel Stress hat. In der Stadt ist das Leben sehr hektisch. Das ist stressig. Deshalb lebe ich lieber auf dem Land. Hier ist es ruhig und die Luft ist gesund. Dann bleibt auch der Körper gesund.

Arbeitssuche

3b+c

- Guten Tag, meine Damen und Herren, unser Thema heute ist: Bewerbungen. Wir haben Menschen gefragt, wie sie eine Arbeit suchen und wie sie eine Arbeit gefunden haben. Herr Sanders, wie war es bei Ihnen?
- Ich habe eine Ausbildung als Lkw-Fahrer, aber ich kann nicht mehr als Fahrer arbeiten, weil ich Probleme mit dem Rücken habe. Deshalb möchte ich mich um eine Stelle als Hausmeister bewerben. Ich habe noch keine Berufserfahrung, aber ich kann gut kleine Dinge reparieren und räume gerne auf. Auch im Garten arbeite ich gerne. Ich denke, ich kann die Arbeit gut machen. Ich habe in der Zeitung eine Anzeige gesehen. Ein Hotel sucht einen Hausmeister, das möchte ich probieren. Vielleicht habe ich ja Glück.
- Und Sie, Frau Yilmaz?
- Ich habe an der Universität Jena Deutsch studiert. Jetzt bin ich fertig und ich suche eine Stelle. Ich habe in der Universität einen Aushang gesehen, eine Sprachschule in Bielefeld sucht Lehrer. Wenn ich dort eine Stelle bekomme, dann ziehe ich von Jena nach Bielefeld. Ich möchte sehr gerne als Lehrerin arbeiten. Ich habe noch nicht viel Berufserfahrung, ich habe nur zwei Praktika gemacht. Aber das hat mir gut gefallen. Ich hoffe, dass ich auch ohne Berufserfahrung in der Sprachschule eine Chance habe.
- Herr Steiner, wo arbeiten Sie und wie haben Sie Ihre Stelle gefunden?
- Ich arbeite im Restaurant von einem großen Hotel. Das ist oft ganz schön stressig, aber es macht mir Spaß. Die Stelle habe ich vor einem Jahr durch das Internet gefunden. Ich habe ein Angebot von einer Zeitarbeitsfirma gesehen. In der Stellenanzeige hat gestanden, dass eine Bedingung für die Stelle Berufserfahrung ist. Und vor einem Jahr hatte ich noch keine Berufserfahrung. Aber ich habe mich trotzdem beworben ... und ich habe die Stelle bekommen. Ich hatte Glück.

14

- Supermarkt Haas. Gaby Rossmann am Apparat. Was kann ich für Sie tun?
- Ich habe Ihren Aushang gesehen. Sie suchen Aushilfen für die Weihnachtszeit.
- Ja, wir suchen noch eine Aushilfe für den Nachmittag. Haben Sie da Zeit?
- Ja, das geht. Können Sie mir sagen, wie die Arbeitszeiten genau sind?
- Von 14 bis 18 Uhr. Haben Sie schon einmal in einem Supermarkt gearbeitet?
- Ja, schon einmal, als Aushilfe für drei Monate.
- Gut, können Sie morgen um 19 Uhr vorbeikommen?
- Gern. Können Sie mir bitte die Adresse sagen?

16

- Also, Herr Engström. Erzählen Sie doch bitte. Wo haben Sie bisher gearbeitet?
- Nach meiner Ausbildung im Hotel Elbufer habe ich ein Jahr im Hotelrestaurant gearbeitet. Dann habe ich im Restaurant „Vier Jahreszeiten" in Dresden angefangen. Die Arbeit war sehr interessant.
- Können Sie mir etwas über das Restaurant und die Gäste in dem Restaurant sagen?
- Das Restaurant „Vier Jahreszeiten" ist ein sehr gutes Restaurant mit Spezialitäten aus Frankreich. Die Gäste waren fast nur Touristen aus Deutschland oder aus anderen Ländern und ich musste oft auch Englisch sprechen.
- Welche Aufgaben hatten Sie?
- Neben den normalen Aufgaben in meinem Beruf, also Reservierungen, Bestellungen notieren und Essen und Getränke servieren habe ich die Gäste auch beraten, zum Beispiel über unsere Weine.

17

1 Wie lange haben Sie Deutsch gelernt?
2 Haben Sie eine Deutschprüfung gemacht?
3 Wie gut können Sie auf Deutsch schreiben?
4 Wo haben Sie in Deutschland schon gearbeitet?

Wichtige Wörter 6

- Die Person räumt gerne auf. Sie putzt auch gerne und macht immer alles sauber.
- Die Person hat eine Werkstatt und arbeitet gern mit Holz. Sie hat viele Ideen und arbeitet selbstständig.
- Die Person ist sehr müde. Sie arbeitet zu viel und braucht Schlaf und Ruhe.

- Die Person kann überall arbeiten: egal ob im Büro, am Strand oder zu Hause. Sie braucht nur einen Laptop und ein Handy.
- Diese Person möchte immer alles wissen. Er fragt viel und hört zu, wenn andere sprechen.

11 Von Ort zu Ort

2

- Guten Tag, meine Damen und Herren. Ich stehe hier am Hauptbahnhof von Bochum und mache Interviews mit Reisenden. Darf ich Sie kurz stören?
- Ja, bitte?
- Sie sind gerade mit dem ICE angekommen. Darf ich fragen, woher Sie kommen?
- Meine Frau und ich haben einen kleinen Urlaub in Berlin gemacht, vier Tage.
- Hat Ihnen die Reise gefallen?
- Ja, es war toll. Ich habe mich sehr gefreut, denn meine Eltern haben uns die Reise geschenkt. Wir haben viel gesehen. Wir waren im Reichstag und auf dem Potsdamer Platz und wir haben eine Stadtrundfahrt gemacht mit dem Bus und auch mit dem Schiff. Wir haben auch Museen besucht. Unser Hotel war sehr gemütlich. Abends haben wir immer im Restaurant gegessen. Wir wollen bald wieder nach Berlin fahren.
- Vielen Dank. Und Sie? Darf ich Sie auch fragen, woher Sie kommen?
- Ich komme gerade vom Flughafen in Frankfurt. Ich war in Moskau in Russland. Das war eine Geschäftsreise, denn meine Firma hat viele Kontakte mit Russland. Ich selbst bin in Russland geboren und vor zwölf Jahren nach Deutschland gekommen. Meistens besuche ich meine Verwandten und dann gehen wir zusammen essen. Aber dieses Mal hatte ich zu wenig Zeit, ich habe meinen Bruder nur kurz am Flughafen getroffen. Die Reise war anstrengend und ich bin jetzt sehr müde, aber es war auch schön. Ich bin gerne in Moskau.

16

- Notrufzentrale. Ja, bitte?
- Guten Tag, mein Name ist … Ich habe eine Autopanne.
- Wo sind Sie genau?
- Ich bin auf der A5. Auf der Notrufsäule steht Kilometer 228.
- Wo steht Ihr Auto?
- Es steht direkt neben der Notrufsäule.

- Gut bleiben Sie, wo Sie sind. Der Pannendienst kommt in wenigen Minuten.

19

1 Kaufst du die Fahrkarten?
2 Wie lange wollen wir wegfahren?
3 Ich schlage vor, dass wir nach Salzburg fahren.
4 Ich buche die Unterkunft und du buchst die Fahrkarten.

12 Treffpunkte

6

- Wir sprechen in unserer Sendung heute über Vereine. Wir haben zwei Gäste eingeladen, die beide Vereinsmitglieder sind. Herr Meier, erzählen sie uns doch ein bisschen über Ihren Verein.
- In unserem Verein sind viele Mitglieder aktiv. Wir treffen uns das ganze Jahr, aber ab November sind wir besonders aktiv. Und natürlich dann im Januar und Februar, wenn Karneval ist. Es gibt verschiedene Gruppen in unserem Karnevalsverein: Wir haben Tanzgruppen für die Kinder und für die Erwachsenen eine Rock and Roll-Gruppe, eine Musikgruppe und eine Organisationsgruppe. Diese Gruppe bereitet dann die Sitzungen und den Umzug vor. Es ist viel Arbeit, aber es macht auch viel Spaß. Ich freue mich immer auf unser großes Fest im Februar.
- Und wie ist das in Ihrem Verein, Frau Kandinsky?
- In meinem Verein gibt es auch viele verschiedene Gruppen. Ich kenne die meisten gar nicht. Ich gehe nur jede Woche einmal zur Gymnastik. Bei der Arbeit muss ich immer viel sitzen und habe oft Rückenschmerzen. Deshalb ist es ganz wichtig für mich, dass ich regelmäßig Sport mache. Diese Gruppe ist genau richtig für mich. Wir sind ungefähr fünfzehn Frauen und machen eine Stunde Gymnastik mit Musik, das macht mir Spaß und tut gut.

7b

- Wie viele Menschen leben in Deutschland?
- Deutschland hat ungefähr 82 Millionen Einwohner.
- Wie viele Menschen leben in Berlin?
- Berlin hat mehr als 3 400 000 Einwohner. Und natürlich haben wir viele Touristen. 2014 haben zum Beispiel 11 900 000 Menschen in Hotels in Berlin übernachtet.

- Und wie viele Fußballvereine gibt es in Deutschland?
- Ungefähr 25 000.
- Und wie viele Mitglieder haben die Fußballvereine in Deutschland?
- Die Fußballvereine in Deutschland haben 6 900 000 Mitglieder.
- Und wie viele Mädchen und Frauen sind Mitglieder in den Fußballvereinen?
- Wir haben mehr als eine Million Mädchen und Frauen in den Fußballvereinen.

16

- Bürgeramt Paderborn, mein Name ist Lange, guten Tag.
- Guten Tag, mein Name ist… Können Sie mir sagen, was ein Stand auf dem Straßenfest kostet?
- Tut mir leid, für die Standmiete bin ich nicht zuständig. Das macht meine Kollegin Frau Antes.
- Können Sie mich bitte verbinden?
- Ja gern. … Hallo? Hören Sie, Frau Antes spricht gerade, rufen Sie doch später noch einmal an.
- Wie ist die Durchwahl?
- Das ist die 255.
- 255. Vielen Dank, auf Wiederhören.
- Gern geschehen, auf Wiederhören.

Banken und Versicherungen

4

- Guten Tag, Koch ist mein Name. Ich habe einige Fragen zu einem Girokonto bei Ihnen.
- Ja gerne, womit kann ich helfen?
- Ich würde gerne wissen, wie viel so ein Konto kostet.
- Soll es ein Geschäftskonto oder ein Privatkonto sein?
- Das Konto soll ein Privatkonto sein, aber nicht für mich, sondern für Freunde, die bald von Russland nach Deutschland umziehen. Sie brauchen das Konto vor allem für Überweisungen von Russland nach Deutschland, aber zum Beispiel auch für die Miete, die sie hier in Deutschland bezahlen.
- Dann passt unser Angebot *Giro extra* sehr gut. Die Gebühr ist 4 Euro im Monat, man hat 30 Überweisungen pro Monat frei und die EC-Karte kostet nichts.
- Haben Sie einen Prospekt mit Ihren Angeboten für Girokonten?
- Natürlich, hier bitte.

- Vielen Dank für den Prospekt und Ihre Informationen. Dann kann ich meinen Freunden Bescheid geben. Wenn sie Ihre Angebote interessant finden, eröffnen sie das Konto sicher bei Ihrer Bank.

Wichtige Wörter 5a

- Entschuldigen Sie, können Sie mir helfen? Ich möchte gern 100 Euro an dem Geldautomaten abheben.
- Ja, natürlich. Zuerst müssen Sie Ihre EC-Karte in den Schlitz stecken. Dann geben Sie Ihre Geheimzahl ein und drücken „Bestätigen".
- Wo ist denn die Taste „Bestätigen"?
- Hier, die grüne Taste.
- Ah, ja.
- Dann wählen Sie den Betrag aus: 100 Euro. Jetzt müssen Sie Ihre Karte wieder entnehmen und da sind schon Ihre 100 Euro.
- Ach, das ist eigentlich ganz einfach.
- Ja, wenn man weiß, wie es geht! Wenn Sie noch mal Hilfe brauchen, melden Sie sich!

Freunde und Bekannte

2

1 Ich freue mich schon sehr auf die Fußballsaison. Meine Freundin Pia und ich interessieren uns schon seit Jahren für Fußball. Wir haben auch selbst Fußball gespielt, jetzt haben wir leider keine Zeit mehr. Wir sehen uns aber oft Fußballspiele im Stadion an. Meistens gehen wir mit unseren Freunden zusammen hin, aber manchmal haben die keine Lust. Sie schauen sich auch gerne Fußball im Fernsehen an. Aber Pia und ich machen das nie. Das ist langweilig. Im Stadion, das ist etwas anderes. Da ist immer was los! Wenn wir gewinnen, dann gibt es eine große Party. Und wenn wir verlieren, na ja, dann diskutieren wir über das Spiel, aber wir ärgern uns meistens nicht lange.

2 Ich kenne Tim schon lange. Wir waren schon im Kindergarten zusammen und dann auch in der Schule. Wir haben schon oft gemeinsam Urlaub gemacht und viel gemeinsam erlebt. Ich weiß, ich kann mich immer auf ihn verlassen. Letzten Sommer hat sich meine Freundin von mir getrennt. Das war nicht so einfach für mich. Aber Tim hat mir geholfen. Wir haben viel über mich und meine Freundin gesprochen. Das war sehr wichtig für mich.

Hörtexte

11

- Liebe Zuhörer, unser Thema ist heute Freundschaft. Wir haben einige Hörer gefragt, was für sie Freundschaft bedeutet. Als erstes sprechen wir heute mit Helga Schmidt. Frau Schmidt, erzählen Sie doch über Ihre Freunde und Freundinnen.
- Ja, gern. Also Hanne, Ingeborg und ich, wir sind jetzt siebzig und kennen uns schon seit mehr als sechzig Jahren. Wir waren schon zusammen in der Schule und haben viel zusammen erlebt. Wir kennen natürlich auch unsere Familien sehr gut. Seit über 10 Jahren treffen wir uns regelmäßig in einem Café, das ist besser als zu Hause, dann haben wir keine Arbeit. Wir treffen uns einmal pro Woche, immer am Mittwochnachmittag um drei Uhr. Dann trinken wir zusammen Kaffee, essen Kuchen und reden gemütlich. Wir erzählen viel über unsere Kinder und Enkelkinder. Bei ihnen ist immer etwas los: sie gehen ins Ausland, haben einen neuen Job oder bekommen Kinder. Das ist immer interessant. Manchmal sprechen wir auch über Bücher oder wir gehen zusammen in ein Konzert oder in eine Ausstellung. Ich bin froh, dass ich Freundinnen habe, mit denen ich alles teilen kann.
- Vielen Dank Frau Schmidt. Unser nächster Anrufer ist einige Jahre jünger. Lukas, wer ist dein guter Freund oder deine gute Freundin?
- Ferhad ist ein echt guter Freund für mich. Letztes Jahr hatte ich zum Beispiel Stress in der Schule. Ich hatte keine Lust mehr, mir war alles egal. Meine Noten waren natürlich total schlecht. Besonders in Englisch und Deutsch. Na ja, und dann hat Ferhad mir die Meinung gesagt. Dass ich mich anstrengen muss, dass das Lernen wichtig ist und so weiter. Ich war erst ziemlich sauer. Ich wollte das nicht hören. Aber er hat nicht aufgehört. Ja und dann habe ich verstanden, er will mir nur helfen. Ich habe dann Nachhilfe genommen und Ferhad hat viel mit mir gelernt. Meine Noten sind jetzt besser und ich bin froh, dass Ferhad mit mir gesprochen hat. Er ist wirklich ein guter Freund. Wir sehen uns fast täglich, nicht nur in der Schule. Wir unternehmen auch viel zusammen am Nachmittag und am Wochenende. Wir interessieren uns für ähnliche Dinge: Wir lieben Musik und Sport. Wir spielen beide gern Fußball. Die anderen in der Klasse spielen auch oft Computerspiele, aber das mögen wir beide nicht so gerne. Ferhad ist oft bei mir zu Hause, er mag meine Familie. Am Samstagnachmittag sind wir oft bei meinen Großeltern, wir spielen mit ihnen Karten und trinken zusammen Kaffee.

CD Inhalt

Auf diesen CDs finden Sie alle Hörtexte zum Arbeitsbuch.

A 2.1

CD Inhalt

A 2.2

Bildquellen

Cover Cornelsen Schulverlage / Hugo Herold Fotokunst – **S. 5** Fotolia / newb1 – **S. 7** oben links: Fotolia / Max Diesel; oben 2. von links: Fotolia / Kadmy; oben 2. von rechts: ClipDealer / www.foto-meurer.de; oben rechts: Cornelsen Schulverlage / Hugo Herold Fotokunst; unten: Fotolia / Yusei – **S. 8** oben: Fotolia / G.G. Lattek; unten: Fotolia / kathrinm – **S. 13** links: Fotolia / jo; rechts: Fotolia / Jan Schuler – **S. 20** oben: Shutterstock / withGod; Mitte: Fotolia / Vera Kuttelvaserova; unten: Shutterstock / Patrick Foto – **S. 21** Fotolia / contrastwerkstatt – **S. 23** oben: Fotolia / Monkey Business; unten: Fotolia / Thaut Images – **S. 25** 1: Fotolia / IvicaNS; 2: Shutterstock / Nejron Photo; 3: Fotolia / massimhokuto; 4: Shutterstock / withGod; 5: Fotolia / Vera Kuttelvaserova; 6: Shutterstock / Patrick Foto; 7: Fotolia / massimo_g – **S. 26** Cornelsen Schulverlage / Hugo Herold Fotokunst – **S. 27** 1: Shutterstock / Thomas Pajot; 2: Fotolia / mindscanner; 3: Shutterstock / racorn; 4: Shutterstock / smileus; 5: Shutterstock / veronchick84; 6: Fotolia / jannoon028; 7: Fotolia / thodonal; 8: Shutterstock / frotos; 9: Fotolia / Boggy; 10: Shutterstock / NRT; 11: Fotolia / Thomas R.; 12: Shutterstock / Alexander Raths; 13: Shutterstock / smileus; 14: Fotolia / Andrey Popov; 15: Fotolia / Andrey Popov; 16: Shutterstock / scyther5 – **S. 32** oben: Shutterstock / Tyler Olsen; Mitte: Fotolia / kameramann; unten: Fotolia / nata_vkusidey – **S. 33** oben: Shutterstock / Lighthunter; unten: Shutterstock / Blend Images – **S. 34** Fotolia / Daniel Fleck – **S. 35** B: Fotolia / JackF; C: Fotolia / Syda Productions; D: Fotolia / imagox; E: Fotolia / purplequeue; F: Fotolia / philippe Devanne – **S. 37** Fotolia / juniart – **S. 38** 1: ClipDealer / purplequeue; 2: ClipDealer / purplequeue; 3: Fotolia / j.o. photodesign; 4: ClipDealer / Erwin Wodicka; 5: Shutterstock / Maglara; 6: Fotolia / karandaev; 7: Fotolia / euthymia; 8: Fotolia / Pixelspieler; 9: Fotolia / Whyona; 10: Fotolia / Olaf Wandruschka; 11: ClipDealer / Thomas Klee; 12: Fotolia / Moritz Hirth; 13: Fotolia / Schlierner; 14: Fotolia / eyetronic; 15: Fotolia / exopixel; 16: Fotolia / euthymia – **S. 39** A: Fotolia / kameramann; B: Fotolia / ExQuisine; C: Fotolia / denio109; D: Fotolia / nata_vkusidey; E: Shutterstock / arfo; F: Fotolia / thommy1973 – **S. 40** oben: Fotolia / Woodapple; unten: Fotolia / tinadefortunata – **S. 41** Shutterstock / Layland Masuda – **S. 43** oben: Fotolia / Jürgen Fälchle; unten: Fotolia / Kzenon – **S. 44** links: Fotolia / Welf Aaron; 2. von links: Fotolia / Paulista; 2. von rechts: Fotolia / Apart Foto; rechts: Shutterstock / seyomedo – **S. 45** Fotolia / Christian Jung – **S. 46** Fotolia / muro – **S. 50** 1: Mauritius Images / imageBROKER / Michael Weber; 2: Fotolia / tinadefortunata; 3: Shutterstock / bikeriderlondon; 4: Fotolia / Monkey Business; 5: Shutterstock / Krivosheev Vitaly; 6: Fotolia / alho007; 7: Shutterstock / Minerva Studio; 8: Fotolia / Gerhard Seybert; 9: Fotolia / dudek; 10: Fotolia / st-fotograf; 11: Shutterstock / Konrad Mostert; 12: Fotolia / drubig-photo; 13: Shutterstock / Dja65; 14: Fotolia / locoleal; 15: Fotolia / Photographee.eu; 16: Fotolia / an_m – **S. 51** 17: Fotolia / benschonewille; 18: Fotolia / Tyler Olson; 19: Shutterstock / Michael Woodruff; 20: Fotolia / Monkey Business; 21: Fotolia / Monkey Business; 22: Shutterstock / Denise Lett; 23: Fotolia / Christian Schwier; 24: Shutterstock / Olesya Feketa; 25: Fotolia / Robert Kneschke; 26: Fotolia / highwaystarz; 27: Fotolia / highwaystarz; 28: Fotolia / contrastwerkstatt; 29: Shutterstock / Jamie Wilson; 30: Fotolia / romurundi; 31: Fotolia / Kara; 32: Shutterstock / bikeriderlondon – **S. 53** links: Shutterstock / Lucky Images; 2. von links: Fotolia / Nomad_Soul; 3. von links: Shutterstock / seyomedo; 3. von rechts: Fotolia / pressmaster; 2. von rechts: Fotolia / ARochau; rechts: Fotolia / belahoche – **S. 56** 1: Fotolia/ william87; 2: Shutterstock / Kzenon; 3: Shutterstock / wavebreakmedia; 4: Fotolia / Oksana Kuzmina – **S. 57** 1: Fotolia / Robert Kneschke; 2: Fotolia / Robert Kneschke – **S. 60** Fotolia / geniuskp – **S. 61** oben: Fotolia / H. Brauer; Mitte: Fotolia / Africa Studio; unten: Fotolia / Apart Foto – **S. 63** links: Deutsche Bahn AG / DB Systel GmbH / Christian Bedeschinski; Mitte: Fotolia / globetrotter1; rechts: Shutterstock / Jörg Hackemann – **S. 66** 1: Fotolia / Kzenon; 2: Fotolia / Kadmy; 3: ClipDealer / Erwin Wodicka; 4: Fotolia / Kadmy; 5: Fotolia / Kadmy; 6: Fotolia / grafikplusfoto; 7: Fotolia / Sergey Nivens; 8: Fotolia / savoieleysse; 9: Fotolia / Gina Sanders; 10: Fotolia / fotoblitzch; 11: Fotolia / starflamedia; 12: Fotolia / goodluz; Mitte: Fotolia / Jakob Kamender – **S. 67** 1: Fotolia / Olesia Bilkei; 2: Fotolia / Sushi King; 3: Fotolia / Galyna Andrushko; 4: Fotolia / Angelo Giampiccolo; 5: Fotolia / william87; 6: Fotolia / mariakraynova; 7: Fotolia / CandyBox Images; 8: Fotolia / Gerhard Seybert; 9: Fotolia / Picture-Factory; 10: Fotolia / autofocus67; 11: ClipDealer / Monkey Business Images; 12: Fotolia / Kzenon; Mitte: Fotolia / Jörg Hackemann – **S. 68** 1: Fotolia / ThomBal; 2: Fotolia / marcus_hofmann; 3: Shutterstock / Heiko Kueverling – **S. 69** oben: Fotolia / Stefan Arendt; unten: Fotolia / JS-LE-PHOTOGRAPHY – **S. 73** 1: Cornelsen Schulverlage / Hugo Herold Fotokunst; 2: Shutterstock / nadezhda1906; 3: Shutterstock / Jan Schneckenhaus – **S. 74** oben: Shutterstock / Yulia Mayorova; unten: Shutterstock / Angelo Giampiccolo – **S. 77** 1: Fotolia / ehrenberg-bilder; 2: ClipDealer / Edler von Rabenstein; 3: Fotolia / photographee.eu – **S. 78** 1: Shutterstock / telesniuk; 2: Shutterstock / Boris Stroujko; 3: Shutterstock / Frank Fischbach; 4: Fotolia / JS-LE Photography; 5: Shutterstock / Zoonar GmbH; 6: ClipDealer / ArTo; 7: Shutterstock / stockfotoart; 8: Shutterstock / Nicolette_Wollentin; 9: Fotolia / Stefan Arendt – **S. 80** 1: Fotolia / Thaut Images; 2: Fotolia / Clemens Schüßler; 3: ClipDealer / Monkey Business Images; 4: Shutterstock / Pressmaster – **S. 81** Fotolia / Daniel Ernst – **S. 83** oben: Shutterstock / Luchi_a; Mitte: Fotolia / Henry Schmitt; unten: Shutterstock / ravl – **S. 84** 1: ClipDealer / purplequeue; 2: Fotolia / monstersparrow; 3: Fotolia / manifeesto; 4: Fotolia / yana_mamochkina – **S. 85** oben: Fotolia / VRD; unten: Fotolia / Bobo – **S. 87** oben: Fotolia / Yvonne Bogdanski; Mitte: Fotolia / Yvonne Bogdanski; unten: Fotolia / alexandco – **S. 89** links oben: Fotolia / fotografiedk; rechts oben: ClipDealer / Birgit Reitz-Hofmann; links 2. von oben: Fotolia / Teamarbeit; rechts 2. von oben: Fotolia / Benjaminnolte; links 3. von oben: ClipDealer / Rob Stark; rechts 3. von oben: ClipDealer / Axel Bueckert; 2. von unten: Fotolia / Tarzhanova; unten: Fotolia / Markus Mainka – **S. 90** 1: Fotolia / Clemens Schüßler; 2: Fotolia / drubig-photo; 3: Fotolia / VRD; 4: Shutterstock / Tim E. Klein; 5: Fotolia / Robert Kneschke; 6: Shutterstock / Kzenon; 7: Fotolia / A_Lein; 8: Fotolia / A_Bruno; 9: Fotolia / Howgill; 10: Fotolia / Guido Grochowski; 11: Fotolia / E. Schittenhelm; 12: Fotolia / Viktoria Makarova – **S. 91** 1: Fotolia / Andrey Kiselev; 2: Fotolia / Stefan Körber; 3: Fotolia / Osterland; 4: Fotolia / sarsmis; 5: Shutterstock / jason cox; 6: Fotolia / Mike Richter; 7: Fotolia / Picture-Factory; 8: Fotolia / Pixelot; 9: Fotolia / psdesign1; 10: Fotolia / Blende40; 11: Fotolia / Thaut Images; 12: Fotolia / VRD – **S. 93** Fotolia / Ssilver – **S. 96** oben rechts: Clip Dealer / Robert Kneschke; unten rechts: Fotolia / contrastwerkstatt – **S. 98** oben: Shutterstock / Maria Sbytova; unten: Shutterstock / K3S – **S. 99** oben: Shutterstock / Milles Studio; unten: Fotolia / Petr Malyshev – **S. 103** 1: Clip Dealer / Dmitriy Shironosov; 2: Clip Dealer / Alexander Raths; 3: Fotolia / Monkey Business; 4: Fotolia / K.-P. Adler; 5: Fotolia / WavebreakmediaMicro; 6: Shutterstock / Nataliya Zinovyeva; oben: Shutterstock / Lukiyanova Natalia / frenta; Mitte: Clip Dealer / totalpics; unten: Shutterstock / Blend Images – **S. 106** 1: Fotolia / Ravil Sayfullin; 2: Clip Dealer / Robert Kneschke; 3: Fotolia / Rob; 4: Fotolia / WavebreakmediaMicro; 5: Shutterstock / wavebreakmedia; 6: Shutterstock / Syda Productions; 7: Fotolia / ARochau; 8: Shutterstock / Iakov Filimonov; 9: Fotolia / wellphoto – **S. 107** 10: Fotolia / maslovskiy.com; 11: Shutterstock / Alexander Raths; 12: Fotolia / Syda Productions; 13: Fotolia / pixelot; 14: Fotolia / ACP prod; 15: Clip Dealer / Robert Kneschke; 16: Shutterstock / Iakov Filimonov; 17: Shutterstock / wavebreakmedia; 18: Fotolia / shadow7777 – **S. 108** A: Fotolia / Monkey Business; B: Shutterstock / Syda Productions; C: Clip Dealer / Adam Gregor; D: Shutterstock / Kletr – **S. 109** 1: Shutterstock / Michal Kowalski; 2: Fotolia / CandyBox Images; 3: Fotolia / Alexander Raths – **S. 110** Shutterstock / Rocketclips, Inc. – **S. 111** oben: Clip Dealer / AndiPu; Mitte: Clip Dealer / Monkey Business Images; unten: Fotolia / goodluz – **S. 112** oben: Shutterstock / racorn; 1: Fotolia / Bjoern Wylezich; 2: Fotolia / euthymia; 3: Fotolia / Convisum; 4: Fotolia / red2000; 5: Fotolia / mick20 – **S. 113** oben links: Clip Dealer / Karl Allgäuer; oben Mitte: Fotolia / unpict; oben rechts: Fotolia / Xavier; Mitte links: Fotolia / rdnzl; Mitte: Clip Dealer / LianeM; Mitte rechts: Shutterstock / jeehyun; unten rechts: Fotolia / Günter Menzl – **S. 114** A: Fotolia / lenets_tan; B: Shutterstock / Sorbis; C: Fotolia / michaeljung – **S. 115** 1. Reihe links: Fotolia / euthymia; 1. Reihe rechts: Clip Dealer / OxfordSquare; 2. Reihe links: Clip Dealer / LianeM; 2. Reihe rechts: Clip Dealer / Volker Riechert; 3. Reihe links: Fotolia / kathrinm; 3. Reihe rechts: Clip Dealer / Birgit Reitz-Hofmann; 4. Reihe: Fotolia / cut; 5. Reihe: Shutterstock / Marina Grau – **S. 117** 1: Fotolia / euthymia; 2: Fotolia / red2000; 3: Fotolia / mick20; 4: Fotolia / Winai Tepsuttinun – **S. 120** Fotolia / DragonImages – **S. 121** 1: Fotolia / Astrid Gast; 2: Shutterstock / tolgaildun; 3: Fotolia / Syda Productions – **S. 122** Fotolia / VRD – **S. 123** Fotolia / WavebreakmediaMicro – **S. 124** Shutterstock / StockLite – **S. 125** Fotolia / WavebreakmediaMicro – **S. 130** 1: Fotolia / contrastwerkstatt; 2: Shutterstock / Anneka;

Audio-CDs zum Arbeitsbuch A2

Pluspunkt Deutsch A2
Leben in Deutschland

Studio: Studio-Kirchberg, Lollar

Redaktion: Dieter Maenner und Laura Nielsen

Tontechnik, Regie und Musik: Peter Herrmann

Copyright: © Peter Herrmann, Studio Kirchberg, Lollar

Sprecherinnen und Sprecher: Christian Burggraf, Knut Eisold, Jacqueline Herrmann, Jessica Hormann, Max Richter, Isabell Rosin, Anne Schmidt, Johannes Seeliger, Justine Seewald, Samuel Seewald, Stefan Skrzek, Emma Vordemfelde und Manuela Weichenrieder

Titelbild: © Cornelsen Schulverlage / Hugo Herold Fotokunst

Umschlaggestaltung, Layout und technische Umsetzung: finedesign Büro für Gestaltung, Berlin